カフェの空間学

世界のデザイン手法

Site specific cafe design

著・加藤匡毅 Puddle

学芸出版社

まえがき

この本が出版される2019年秋は、歴史上最もバラエティに富んだカフェがこの世界に存在しているだろう。金太郎飴のようにどこでも同じ顔をしていたチェーン店も旗艦店ではまったく違う空間をつくり出している。僕の住む街の周辺だけで見ても個性豊かなカフェが次々と生まれている。

現代の人々はスマートフォンやPCによりどこからでもアクセスできるバーチャルな場でのコミュニケーションを手に入れた反動か、以前にも増してリアルな場での営みを必要としている。どこでも同じ顔をしているアプリのインターフェイスやウェブサイトのデザインとは違う、その場その場に根付いた個性豊かなカフェを、である。

では個性豊かなカフェとはどのようにしてつくることができるのであろうか。美味しいコーヒー、人、ホスピタリティ、様々な要因がかけ合わさって存在しているカフェであるが、ここでは特に空間という建築的側面から考察していくことにしたい。

今日まで僕は、それぞれの場に相応しい「個性」を生み出すことを目指して、15を超える国と地域でカフェを設計してきた。

よそ者としてお邪魔し、その地の良さを見つけ出し、核をつくり、磨き、人々の前に「個性」ある空間を引き渡すのだ。

……と言えば聞こえは良いが、決まった方程式があるわけでもなく、プロジェクトごとにもがきながら、答えを探し続ける終わりのない旅のようでもある。

2018年の春先、そんな旅の軌跡を振り返る機会をいただいた。それがこの本である。

この本は、僕が仕事やプライベートで訪れ、印象に残ったカフェを中心に、国内外計39件をカメラ、スケール、紙、ペンを持って再訪、取材し、まとめたものだ（2件は現存せず。3件は僕自身が設計者としてかかわった）。客として何気なく訪れていた時に感じた居心地の良さ、記憶に残る体験は一体どこから来ていたのか。オーナーや設計者へのインタビューからわかったことに僕の解釈を加え、それぞれのカフェがどのような意図で「個性」を構築し得たのかを読み解いてみた。

設計の仕事に就く前から続く趣味である「スケッチ」と「写真」を中心にしているので、設計者はもちろん、建築の専門家でなくても読みやすい内容になっていると思う。

事例は、僕が設計で常に意識している以下の三つのカテゴリーに分けて紹介する。

1部　場所とのかかわり
2部　人とのかかわり
3部　時間とのかかわり

1部では、カフェのデザインが場所そのものや周辺環境からどう影響を受け、またどう影響を与えているか。2部では、カフェを利用する人とデザインのあり方について。そして3部は、カフェに流れる様々な時のあらわれ方について考えてみた。

先頭から順に読み進めていただいても良いし、好きなページから読んでいただいても良いと思っている。

本書を通して、カフェの空間設計が人の営みや街の個性をつくる大切な行為であることを再認識していきたい。

加藤匡毅

CONTENTS

本書に掲載する事例（日本）

● 1部の事例　● 2部の事例　● 3部の事例

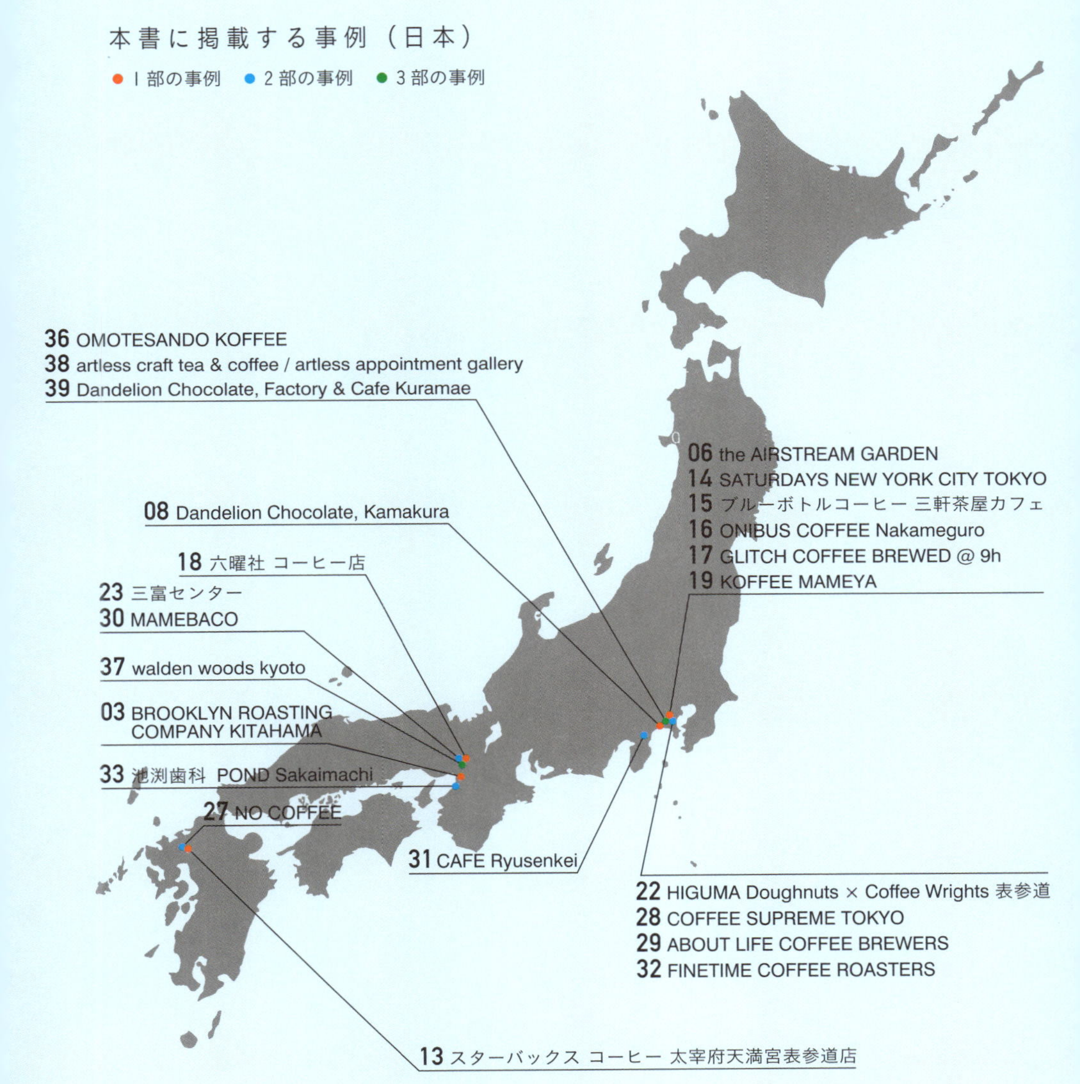

本書に掲載する事例（海外）

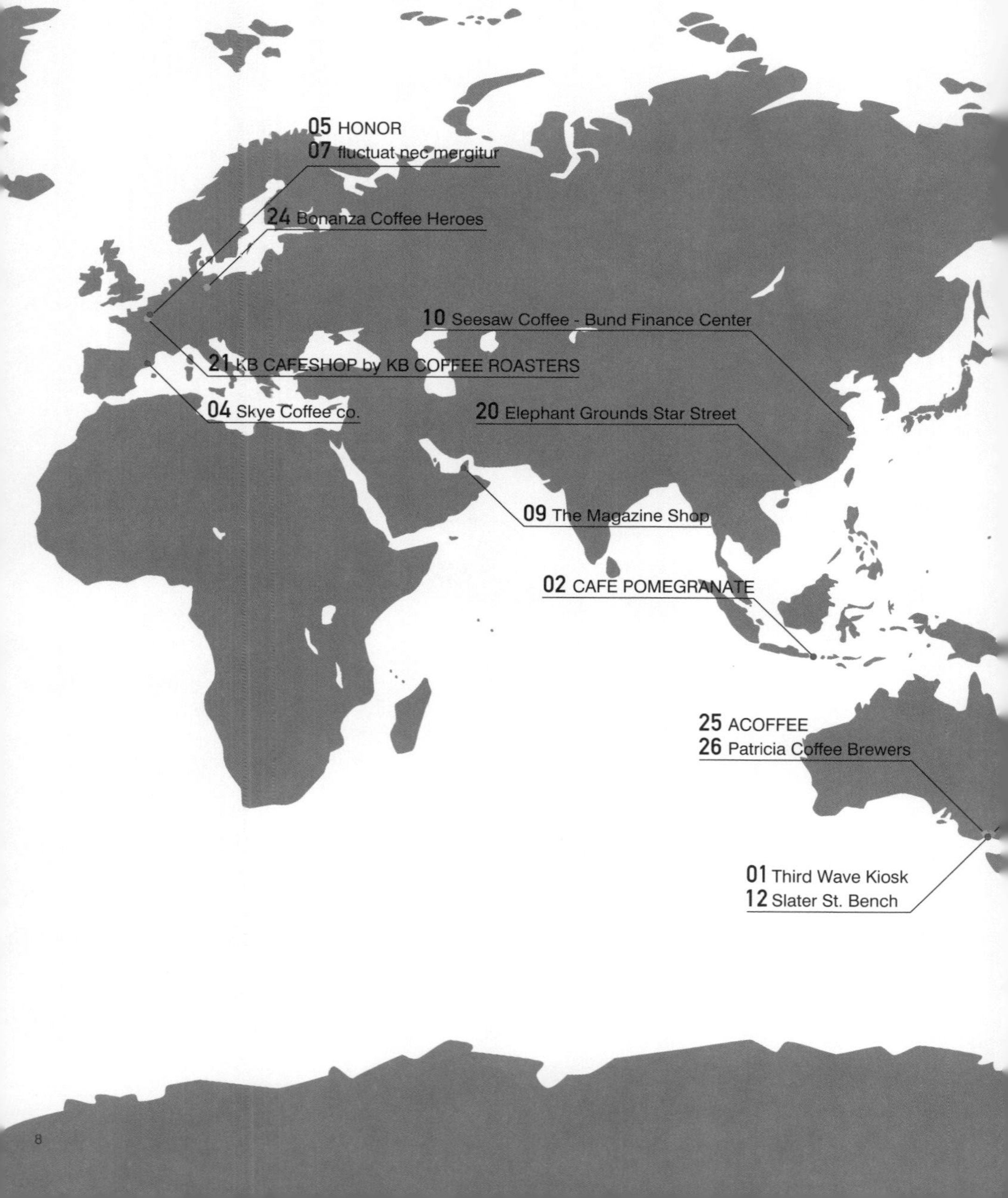

05 HONOR
07 fluctuat nec mergitur
24 Bonanza Coffee Heroes
10 Seesaw Coffee - Bund Finance Center
21 KB CAFESHOP by KB COFFEE ROASTERS
04 Skye Coffee co.
20 Elephant Grounds Star Street
09 The Magazine Shop
02 CAFE POMEGRANATE
25 ACOFFEE
26 Patricia Coffee Brewers
01 Third Wave Kiosk
12 Slater St. Bench

11 Dandelion Chocolate - Ferry Building
34 Higher Ground Melbourne
35 Lune Croissanterie

1部

places
場所とのかかわり

つい長居してしまうような居心地の良いカフェ空間には、どこか“場所とのかかわり”が感じられる。例えば、眼前に広がる美しい景色を堪能できたり、賑やかな都市の道端で一呼吸つける自由な場所であったり、外部から隔離され日常と切り離された空間というのは、コーヒーを楽しむ間、まるで自分自身がその場所に溶け込んでいるような安心感があると思う。

1部では場所の魅力を最大限に生かそうとするデザイン的工夫が見られる19件のカフェを集めた。以下の三つの視点から、それぞれの手法を読み解いていきたい。

1. 環境を借りる

自然環境や文化など場所のコンテクストに焦点をあわせ、そこを強調するようなデザインが見られるカフェ。雄大な自然を借景として用いたり、時には一体化したり、土着的な文化や営みを想起させるような空間が見られる。

2. 境界をぼやかす

空間内部と外部の境界が曖昧、もしくは境界を見失ってしまうようなカフェ。敷地外にも積極的にひらこうとしたり、逆に境界にバッファー空間を設けるものが見られる。

3. 外との関係を断つ

空間内部と外部の関係性が絶たれたカフェ。物理的に外部を遮断しながら、独自の世界感を演出する内向的なデザインが特徴である。

01 自然へのリスペクト、環境からのプロテクト

Third Wave Kiosk（オーストラリア・トーキー）
— Tony Hobba Pty Ltd

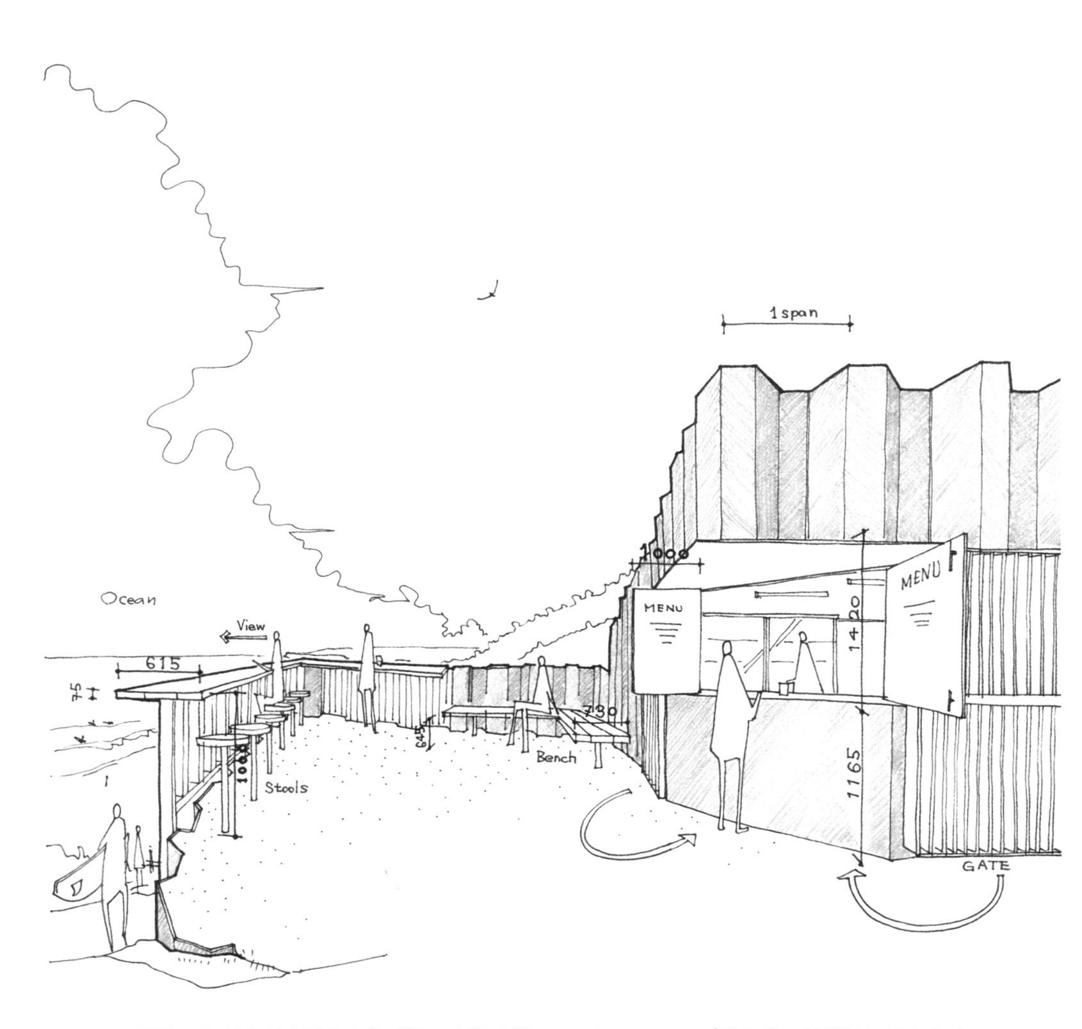

眼前に海が広がる緩やかな丘陵に力強く建つコーヒーショップがある。外壁材には土止めや水止めに使う鋼矢板（シートパイル）を用い、潮風によって錆びることを良しとしており、建築の形状は砂浜より見上げた際、丘の稜線と一体化するように計画されている。建築家は設計にあたり、この環境と共存するためのコンテクストを読み解いたのだろう。

オーストラリア・トーキーのサーファーたちが集まる海岸から少し高い位置に建つ。広大な海に対し、天井高さが 2.6m のコーヒーキオスク（テイクアウトのみ）というミニマルな営業形態。海を望みながら、バリスタはコーヒーを淹れ、客はコーヒーを楽しむ。これらの体験は格別であろう。

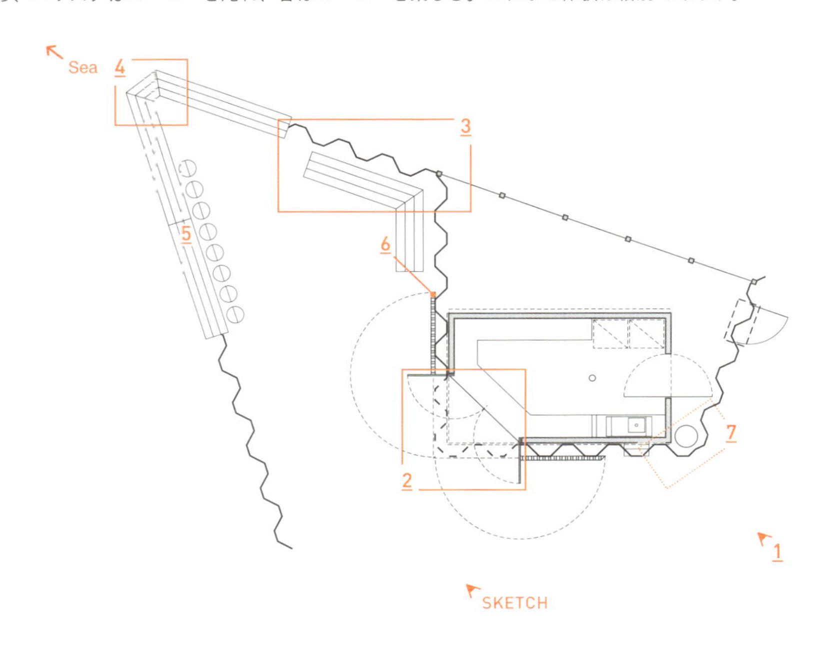

2 外壁の一部を開閉式としたオーダーカウンター。折れ戸式の戸の裏からメニューが現れる。

3 建築を構成するシートパイルはそのまま外構につながり、本来の土止めの役割を担う。

4 敷地際につき出したシートパイルを利用した海を望むカウンター席。

5 カウンター席の天板は3枚のデッキ材でつくられている。

6 閉店時に閉まるスチールと木のゲート。木に移った錆が潮風の強さを物語っている。

7 高さ違いのシートパイルがつくるリズミカルな外壁ライン。

設計者は、サーファーがウェットスーツで自身をプロテクトすることに着想を得て、土止めに使われるシートパイルを「自然」と「カフェ」の際をつくる素材として採用した。カウンターテラスから外壁に至るまで、この鋼鉄という錆びる素材をあえて使用することで、大自然に対峙する建築の力強さとやさしさが感じられる。

02 借景以上

CAFE POMEGRANATE（インドネシア・バリ）
—中村健太郎

見渡す限り広がるバリ島のライスフィールドにポツンと浮かぶとんがり帽子の屋根を持つオープンカフェ。大屋根を白テラゾーの床から伸びる８本の丸柱で支えている。間仕切りがなく300°ひらいているので、客席どこからでもライスフィールドのパノラマビューが楽しめる。

バリ島・ウブドの目抜き通りから狭い歩道と畦道を20分程歩いたライスフィールドの中にある。周囲の環境に馴染みながらも個性的な造形に、時代を超えた田園と建築の美しさを見る。年に3回ある米の収穫前には稲が床のレベルまで達する。

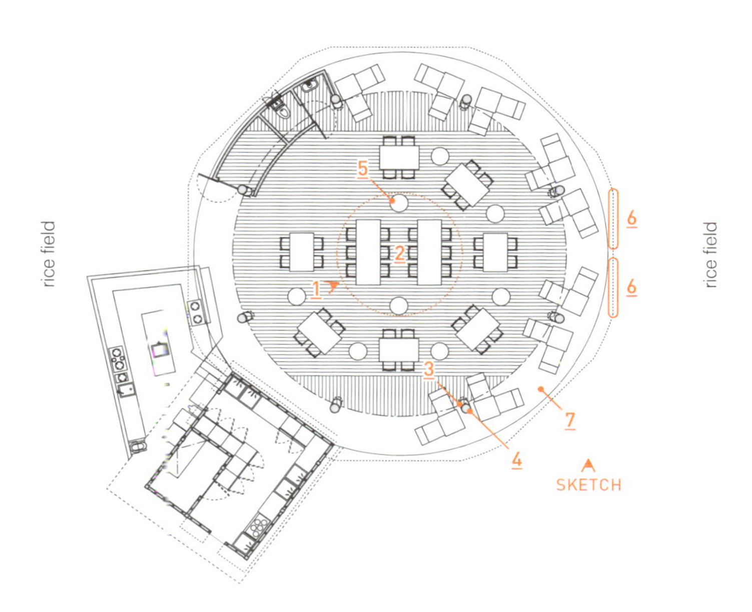

およそ 12m の無柱空間をつくり出すとんがり帽子の大屋根を見上げる。

コンクリートを注入した水道管でできた柱と梁が大屋根を支える。

各柱に巻きついたほうき状のアッパーライト。

植栽鉢と一体型で設計製作された吹きガラスのランプ。

庇に取り付けられたオリジナルのすだれは、日よけの他に突然のスコールにも対応する。

ライスフィールドの際まで伸びる白テラゾーの床。

オーナーでもある設計者は、このライスフィールドに惚れ込み、ここにカフェをつくることを決意した。大屋根をはじめ、柱、床、家具にまで円や曲線が取り入れられ、そのディテールからは、設計者の強い個性を見て取れる。建築途上国でもあるインドネシア・バリ島の限られた職人、素材、工法をうまく組み合わせることで革新的でありながらも土地に対しての敬意を感じることのできるカフェになっている。

写真提供：中村健太郎

03 オフィス街に川床をつくる

BROOKLYN ROASTING COMPANY KITAHAMA（大阪府大阪市）
— DRAWERS

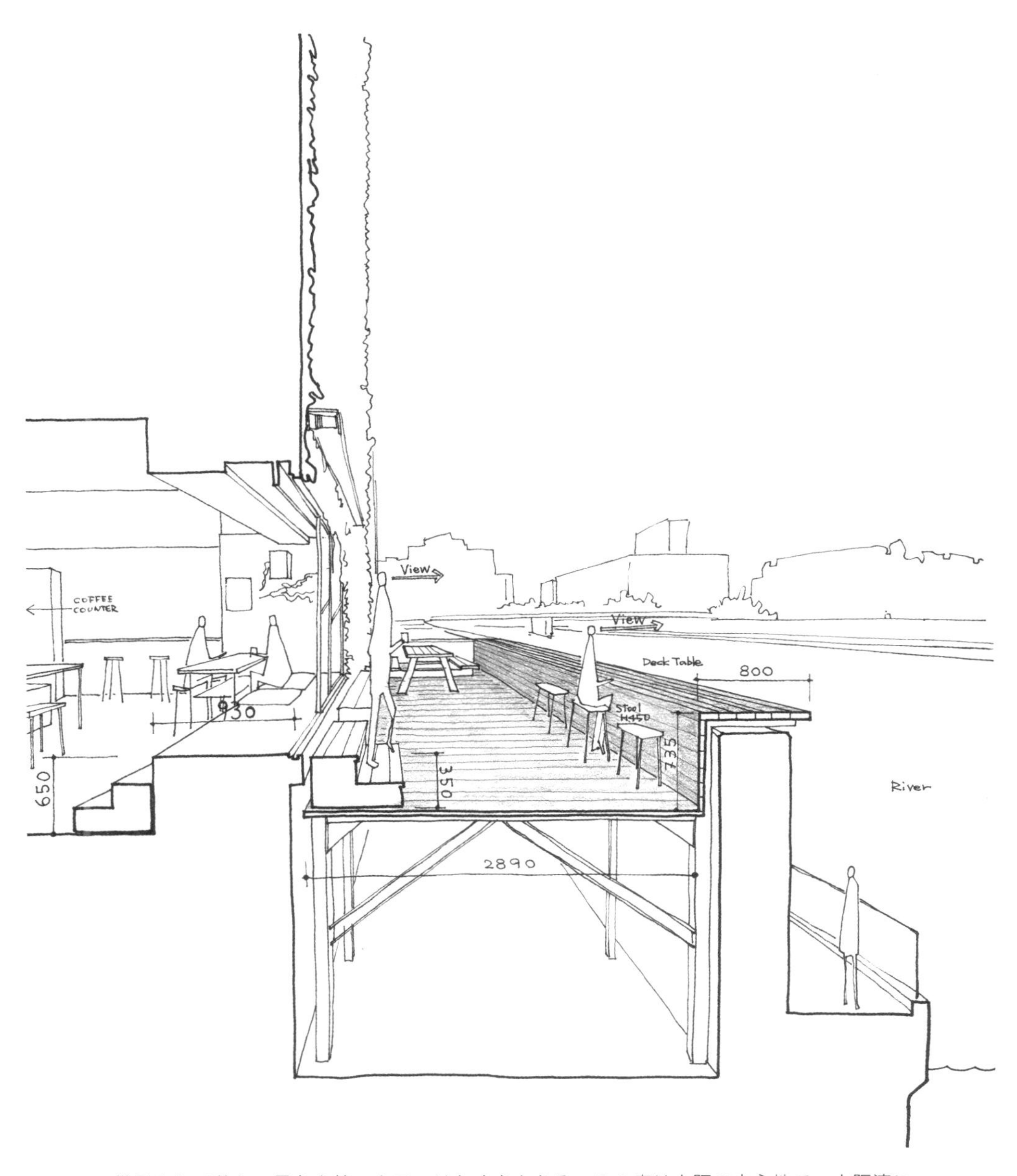

借景として美しい景色を持つカフェはたくさんある。この店は大阪の中心地で、大阪湾に流れ出す幅広い穏やかな川と、対岸の緑あふれる中之島の景色を借景としている。さらに、通りと川の間にある建築の特性を生かし、既存の建物境界からもう一歩外に飛び出すテラスを設け、眺望を楽しめる心地良いカフェ空間となっている。

大阪・北浜のオフィス街にあるカフェ。大川に面しており、対岸の中之島から見ると、立ち並ぶ雑居ビルの中でテラスと壁面に伸びた蔦が目を引く。このカフェができた後、近隣のビルにも同様のテラスがひろがり、新しい川沿いのプロムナードが見えはじめている。

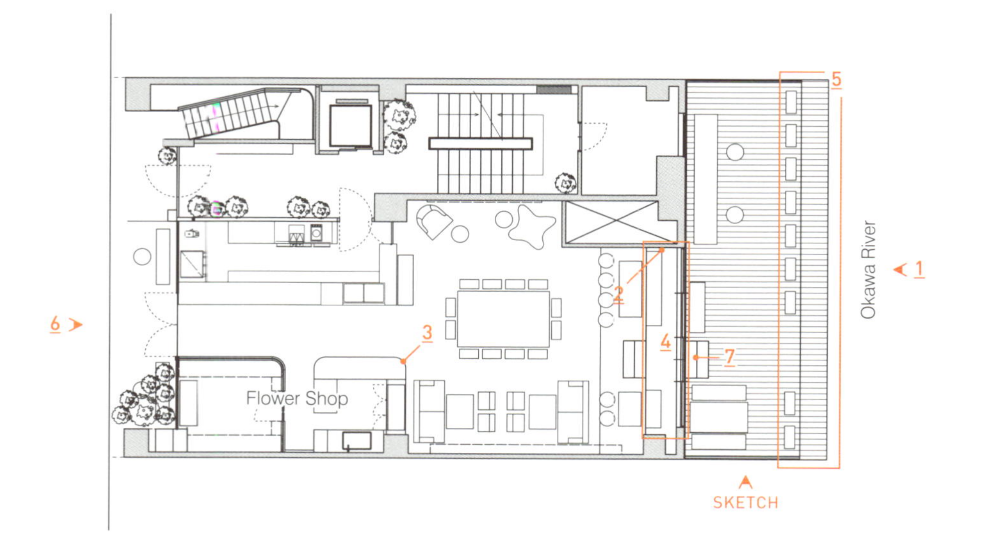

店内にある蔦のアートにまで入り込んできた本物の蔦。モルタル壁と木製スピーカーの色のバランスが美しい。

コンクリートスラブ剥き出しの床と、角アール木製カウンター。

窓際の基礎梁はテラスへの踏面となり、テーブル席のベンチとしても機能している。

テラス際に設置された奥行き 800mm のカウンターデッキが、手すりの役割も果たす。

フラワーショップが併設されており、華やかなファサードを表通りにつくり出している。

テラスと既存建物の窓との高低差を埋めるステップ。

この店の設計が始まった頃は、表通りから川辺まで抜けられるビルはなかったという。当時、このビルの上階に事務所を借りていた設計者は、川の魅力と価値にいち早く気づき、建築の際にテラスを設けた。現在、周辺にはテラスを設ける店舗が増え、行政も水辺を生かしたまちづくりに積極的に取り組んでいる。このような、新しい街の魅力を牽引する力強いカフェ空間が増えることを期待したい。

04 脱着できるカフェ

Skye Coffee co.（スペイン・バルセロナ）
— Skye Maunsell Studio

元倉庫をコンバージョンしたギャラリー内に、一風変わったキッチンカーのカフェがある。内部が脱着可能な家具で構成されており、ギャラリーのテーブルと組み合わせることで、車体なしでもカフェとして営業することができる。カフェという場に必要なものは何か、その最小機能を示している。

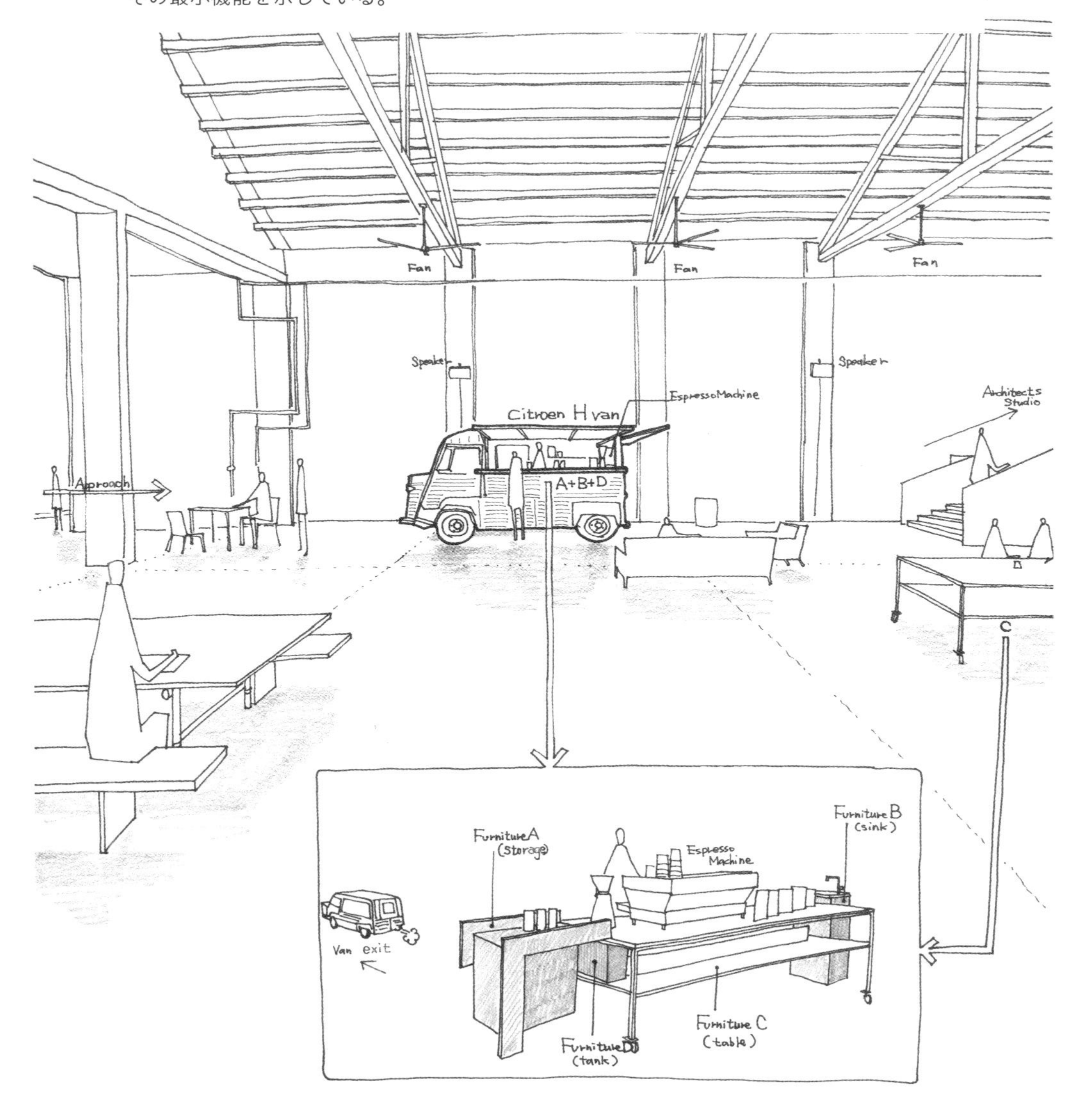

バルセロナの中心地から自転車で10分ほどの元工業地域の倉庫内にある。倉庫は建築家とインテリアデザイナーのオーナー夫婦のオフィスにコンバージョンされており、ギャラリー「Espacio88」としても機能している。そのフロントにキッチンカーのバンが停車しており、基本的にはオープンで誰でも入ることができる。

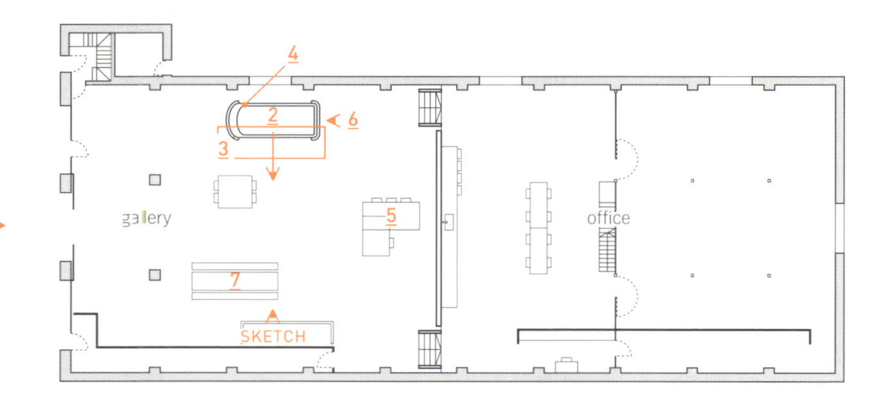

バンの内部から客席のあるギャラリーを望む。

鋼鉄製のバンから持ち出されたシナ積層合板カウンターとの素材の対比。

内部の家具（シンク・給排水タンクなど）はバンの曲線に合うように特注で施工されている。

ギャラリーの内観。中央のテーブルは、バンの家具と組み合わせ、コーヒーカウンターとして使われる。

バンのバックドアよりシナ積層合板の台とエスプレッソマシーンを見る。

単管パイプと粗く製材された木材の組み合わせのテーブルとベンチ。

キッチンカーに使われているのは、シトロエンの商用バン「Type H」（通称Hバン）。移動販売車の代名詞のような車体に手を加え、家具を脱着可能にしたことが新しく感じる。時にはギャラリー内でも家具をバンの横に出し、カフェ営業をすることもあるようである。カフェの最小機能を家具で構成し、その表層に移動できるバンをまとわせている。まるで人体と衣服の関係である。

05 中庭の階段を取り込む

HONOR（フランス・パリ）
— Studio Dessuant Bone (Paris) & HONOR

中庭の階段に張り付いたような構造のカフェ。元はポップアップカフェから始まったこともあり、安価で軽い素材を組み合わせている。降り注ぐ光が透明な屋根を通り、跳ね上げ式のキャノピーや白い内装がクリーンで明るい印象を与える。重厚な建物に囲まれた中庭で、光が透ける軽快な姿が際立つ。

パリ8区。厳格な雰囲気を放つイギリス大使館の向かいに建つ重厚な石造りの古い建物に掲げられた「COMME des GARÇONS」の看板をくぐり、暗く長い廊下を抜けて中庭に入ると、賑やかな人々の声とともに軽やかなカフェが出現する。このギャップが店の魅力でもある。

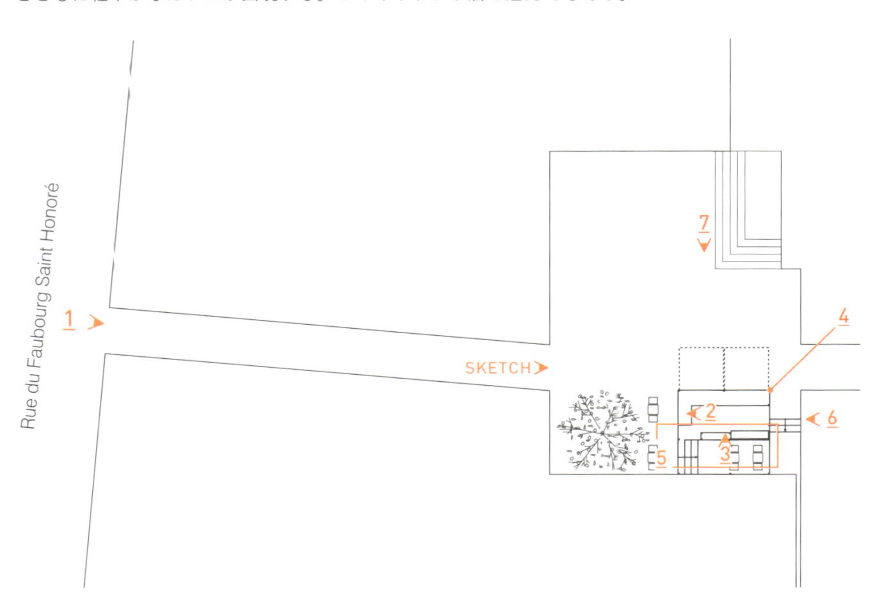

ポリカーボネイトの外壁越しに中庭の様子がうかがえる。

客席は階段の段差を利用しているので、バリスタを背後から見下ろすことができる。

中庭のピンコロ石と 45 度に交差する黒塗りのカウンターのディテール。

カウンター裏側の 1 段高い客席。収納棚はオープンにつくられており、奥まで光が差し込む。

上部から光が降り注ぐカウンターを側面から見る。

中庭奥より眺める。写真左下と同じ階段がカフェ下部にも存在する。

中庭の段差に張り付くようなコージーなカフェが賑やかな雰囲気をうまくつくり出している。この店はバリスタでオーナーのカップルのアイディアを軸として、デザイナーとの綿密なやり取りの中で生まれたものだ。階段に張り付いたような設計のアイディアはピュアな思いつきだというが、それによってバリスタカウンターを裏から覗き込めるというユニークな構成となっている。こうした素直な発想のプロジェクトから学ぶことは多くある。

06 都会の空地に宿る

the AIRSTREAM GARDEN（東京都渋谷区）
―ティープラスター　水口泰基（発案）

敷地を極限まで利用した都会の建築群の中、突然出現するデッキ。そこに埋め込まれた2台のキャンピングトレーラーがカフェである。空が大きくひらけたデッキに丸みをおびた無機質なボディが佇む光景は異様なのだが、ひとたびデッキに上がり、コーヒーを片手にベンチに腰掛けると、不思議な落ち着きを感じさせてくれる。

表参道ヒルズのすぐ裏手に2台のトレーラーが停まる空地が現れる。通りに面したトレーラーは後部窓がバリスタカウンターになったカフェ車体、敷地奥のもう1台は倉庫兼トイレ。この2台を囲むようにトレーラーの床の高さに合わせたウッドデッキが敷地いっぱいに敷かれている。

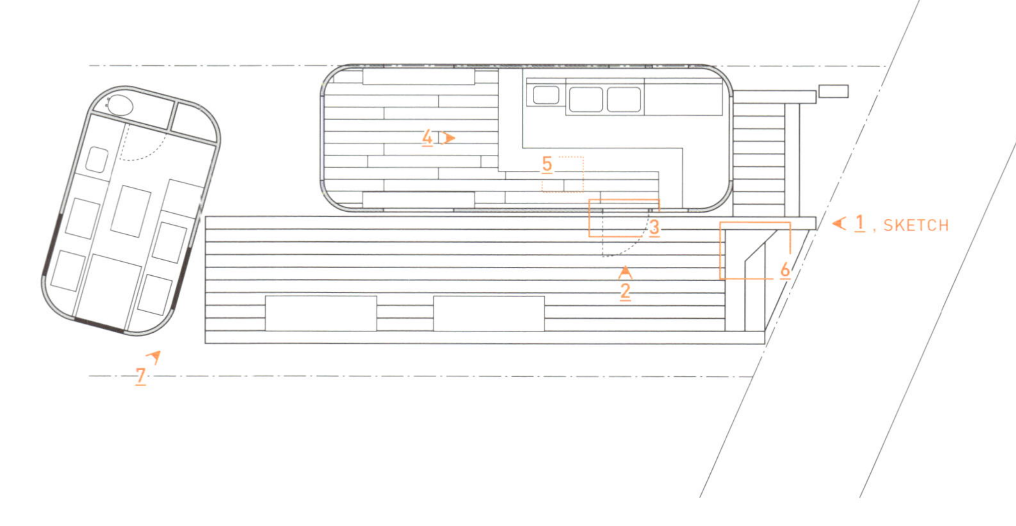

2
カフェ車両の入口。扉はサインとしても機能している。

3
車両のステップを飲み込むように高さを合わせて敷かれたウッドデッキ。

4
既存の内装を取り払って白く塗装し、木製カウンターを設置している。

5
トップライトフレームから、以前の内装仕上げの厚さがうかがえる。

6
車両のステップに合わせるため、通りから4段分高くなっている。

7
敷地を俯瞰してみると、なんとも不思議な光景である。

表参道エリアの敷地とあって、周囲と同じように何層かのビルにしてしまえば収益が上がることは容易に想像がつく。しかし地主は新しい建物を建てる代わりに、キャンピングカーを2台置いた。その結果、公園のようなカフェ空間が生まれ、人が溜まり、小さいながらもイベントを行ったりと、カフェから街へと賑わいが滲み出る空間となった。経済性だけを追わずに、新しい価値観を提示することは誰にでもできることではない。

07 軸線を強調する大庇

fluctuat nec mergitur（フランス・パリ）
—TVK & NP2F

パブリックな広場とプライベートなカフェとをつなぐ深い庇。この庇の下には、どちらの空間とも言いがたい中立的なオープンテラスが生まれている。真正面には、自由・平等・友愛の象徴、マリアンヌ像が見える。広場の中心的存在の像との結びつきを強く意識したカフェによって軸線が強調され、広場全体に一体感が生まれている。

カフェがあるのはパリ 10 区のレピュブリック広場の西側。フランス共和国の自由・平等・友愛の象徴「マリアンヌ像」が立ち、大規模なデモ行進の出発地点としても知られている。2013 年にリニューアル整備され、老若男女が憩う明るくて安全な広場に生まれ変わった。

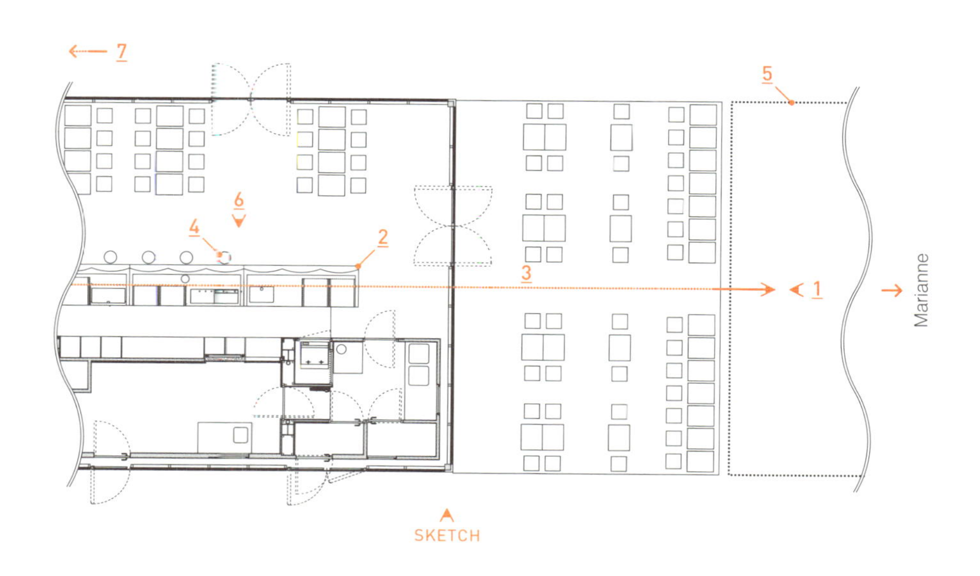

床と同じテラゾーを使用したカウンター足元のディテール。

マリアンヌ像と建築の中心線は完全に一致しており、軸上に席は配置されていない。

重厚なカウンターに対して木製の軽やかなハイスツール。

前面広場で数分おきに立ち上るミスト。

落ち着いた色合いの建築や家具の中でカウンター上の鮮やかな色の小物が映える。

古材を積み上げたような広場のオブジェはベンチとしても使用されている。

店名はパリ市の紋章にある標語「FLUCTUAT NEC MERGITUR（たゆたえども沈まず）」に由来する。革命や戦争を乗り越えてきたパリ市民にとって、強く熱い魂の拠り所であるこの広場は特別な場所だ。だからこそ、カフェに外部空間との融和を狙う設計コンセプトがうかがえるのは当然だろう。その証拠に店内のどこからでもマリアンヌ像を見ることができる。

08 街の動線と共存する

Dandelion Chocolate, Kamakura（神奈川県鎌倉市）
— Puddle + moyadesign

地元の人に長く使用される生活動線を残しながら、カフェの顔となるように設計されている。階段に突き出た既存の植栽鉢を利用して出窓型のバリスタカウンターがつくられ、階段から続く道上には緑の這う庇を浮かべるように取り付けている。このファサードが生活動線と融合し、日常生活がカフェと緩やかにつながることが目指された。

JR鎌倉駅西側にあり、駅の東西を結ぶ地下トンネルとその上部の道路をつなぐ生活動線を含んだ敷地。細長い店内はカウンターを中心に、入口右手にリテール棚、正面に2階への階段、左手にバリスタカウンターを配している。三方向にガラス窓を配し、光をたっぷりとり込む空間としている。

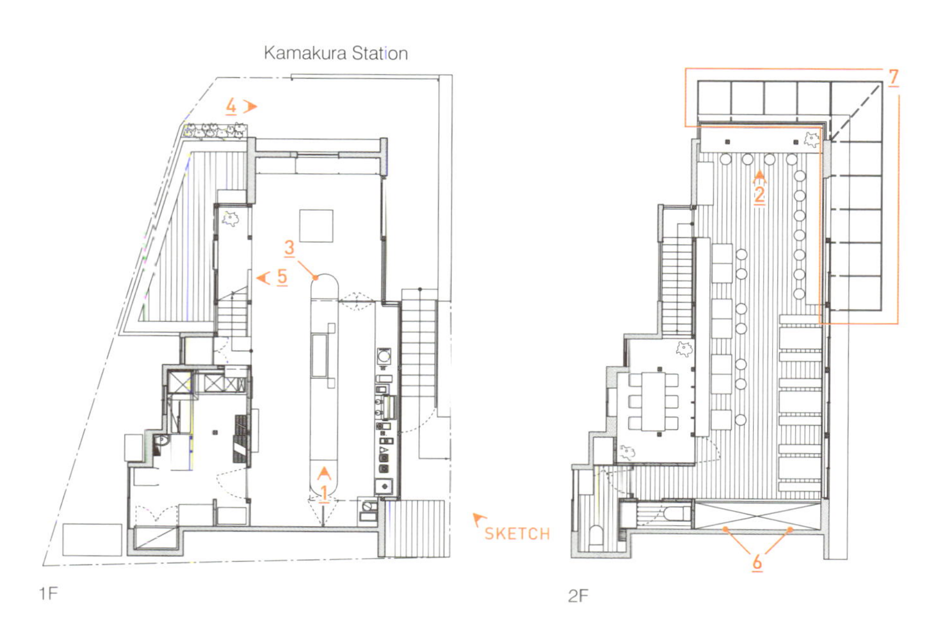

2 2階客席からは駅が見える。この客席はホームに立つ人へのサインとしても機能する。

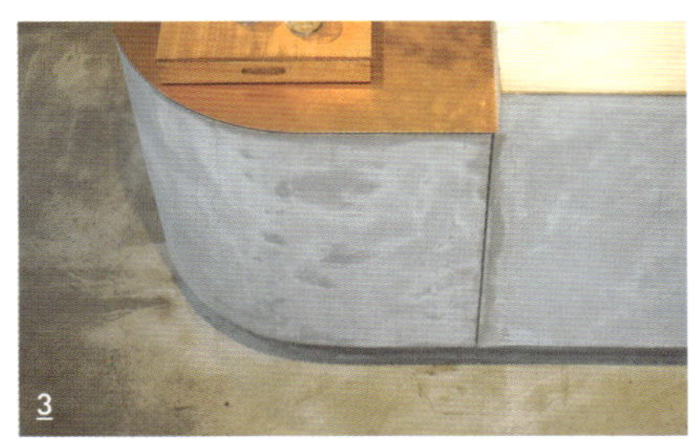

3 モルタル製のカウンター。コーナーを1段下げ、銅板を張ったディスプレイとしている。

4 ファサードには庇やベンチを設け、通り行く人たちとのかかわりを積極的に計画した。

5 階段越しにテラス席を見る。

6 照明とグリーンが吊るされた吹き抜け奥の壁面に埋め込まれた二つのスピーカーユニット。

7 既存のオーニングのフレームを利用し、外部通路にかけた庇。

本物件は筆者設計。建築・カフェが街と共存していくための試みであった。この建物が呉服店だった時から、地元住民の生活動線として長く使われてきた通路。その機能を損なわずに何ができるか。結果として、建物の基礎をハツり、既存の階段の幅員を可能な限り広げながら、その上部にカフェの顔でもあるバリスタカウンターを浮かべた。新参者として街に、通りにお邪魔する配慮を持ちながらも、新しい景色もつくれたのではないかと考えている。

09 金融街で土着の素材と技術を使う意味

The Magazine Shop（アラブ首長国連邦・ドバイ、現存せず）
— Case Design

現在のドバイに一石を投じたポップアップカフェである。金融の中心として華やかになる前のドバイにも、暮らしの中で大切にしていた素材や手仕事があった。ここは、それらを用いてつくられた。コーヒーの他に雑誌やイベントを通して、鉄とガラスとコンクリートでできている現代都市に対するアンチテーゼを発信していた立体的なメディアでもあった。

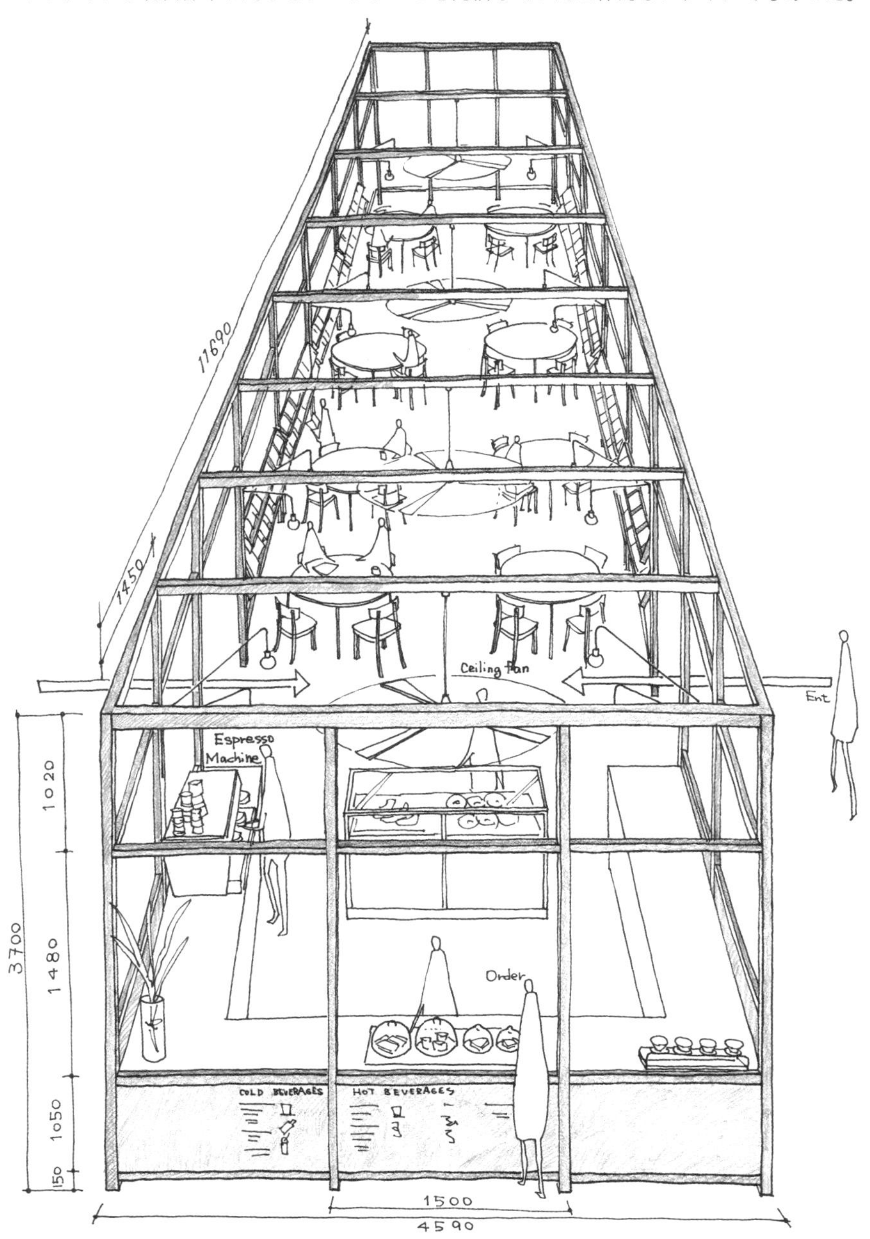

ドバイ金融地区の歩行者専用ピロティに建つ。幅 4.6m 高さ 3.7m 奥行き 11.7m のチーク材フレーム構造。黒いライムストーンを張った正面部分にバリスタカウンターがあり、その奥の客席部分は左右のフレームに農業用ネット、マガジンラック、ペンダント照明が、上部のフレームにシーリングファンが固定されている。

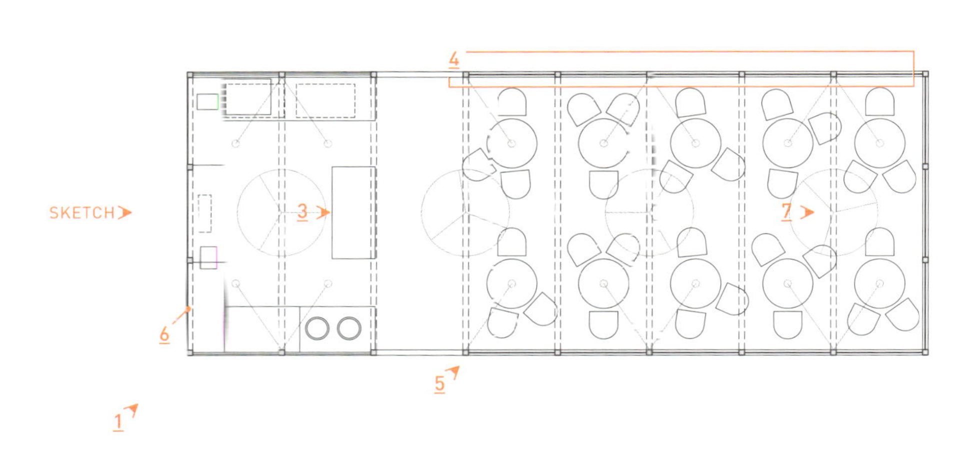

工場での製作風景。ディテールを検討しながら設計と同時並行で製作していくプロセスがとられた。

バリスタカウンター越しにフレーミングされた客席を見る。

チーク材で製作されたラックに並ぶマガジンが客席を彩る。

銅パイプでつくられたペンダント照明が農業用ネット越しに柔らかな光をつくる。

ライムストーンに直接書かれたメニューがクラフト感を演出する。

カフェでは時にライブなどのイベントが開催され、文化を発信する場にもなった。

急成長するドバイの影に隠れてしまった人々の丁寧な暮らしや文化に焦点をあわせたカルチャーファッション誌を出版しているオーナーは、このカフェというメディアを通して、ドバイや中東の人々が失ってしまった素材、技術、プライドをもう一度取り戻そうとしているのだろう。壁や天井の仕切りを持たない（エアコンもない）土着の素材で構成された、誰にでもひらかれたカフェに入ると、かつての街に思いを馳せることができた。

写真提供：Case Design

10 フラットな関係が開放性を生み出す

Seesaw Coffee - Bund Finance Center（中国・上海）
— Tom Yu Studio

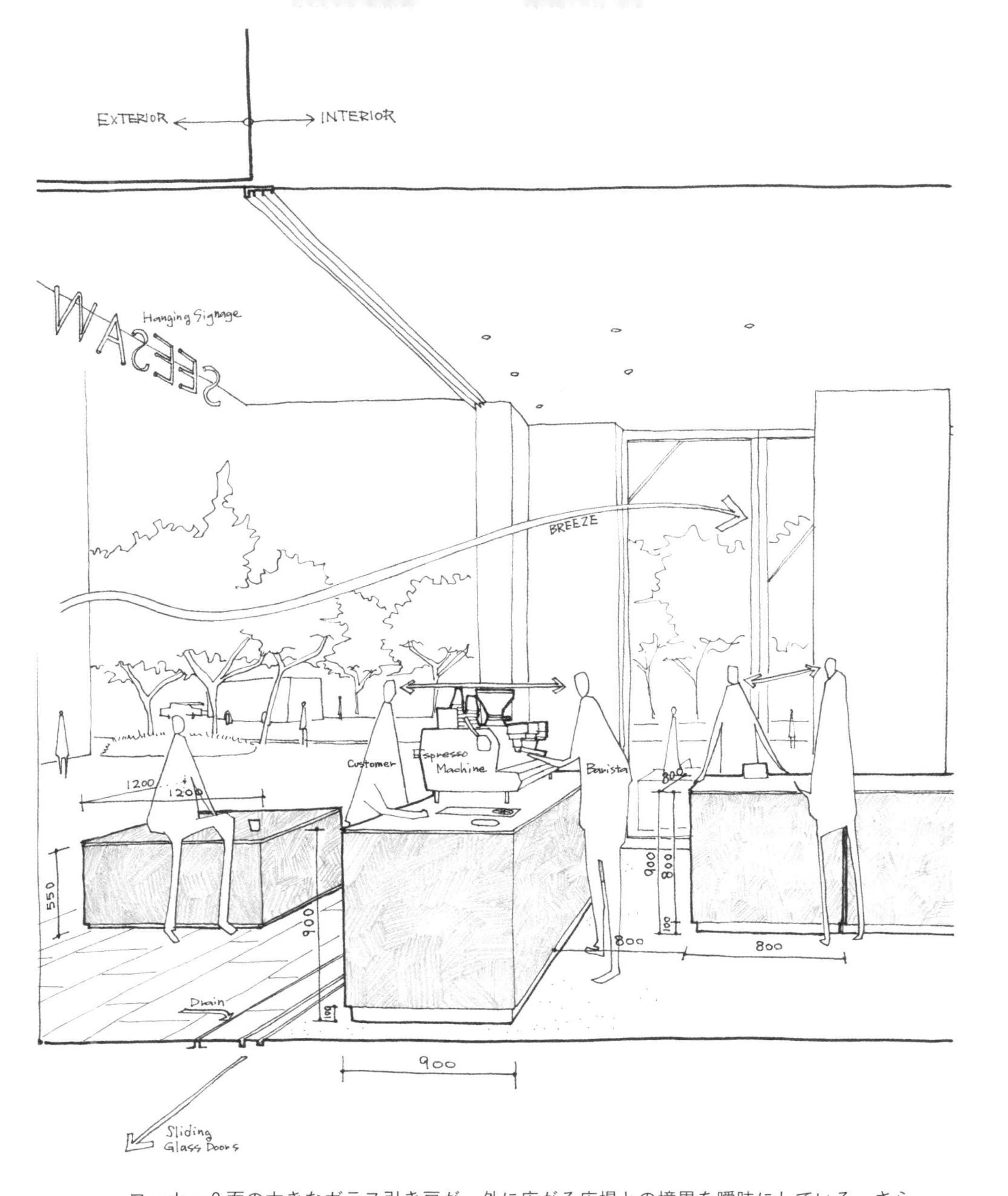

コーナー２面の大きなガラス引き戸が、外に広がる広場との境界を曖昧にしている。さらにオリジナルのボックス型什器によって客席とバリスタのエリアとの明確な境界も見当たらない。店名の「シーソー」が二者間のバランスを楽しむように、この店では外と内、客とバリスタのフラットな関係を目指し、設計していることが見て取れる。

1

オフィスビル1階の広場に面するカフェ。客は天井と一体になった大きな庇の下に置かれた大小の什器に座りコーヒーを待ったり、バリスタのすぐ隣でコーヒーを淹れる様子を見ることができる。このカラフルな什器が300mmモジュールで大きさや高さを変えながら、テーブルやイス、バリスタのカウンターにも使われている。

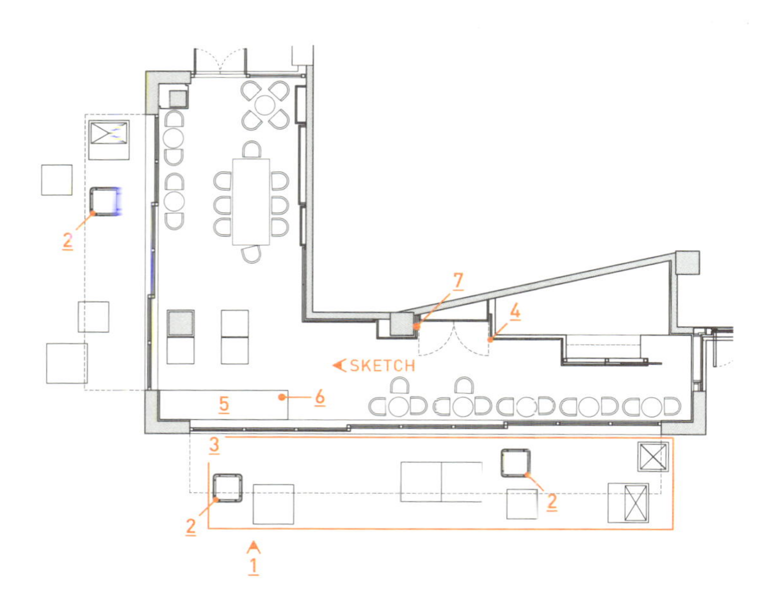

ペットのリードをつなぐためであろうか、パイプが付けられた什器。

様々な色とサイズの什器の使い方は客に委ねられている。

什器や壁の素材は建築家のオリジナル。廃棄された紙や布のチップの色を分け、圧縮した。

バリスタカウンターの足元は100mm立ち上がった巾木で見切られている。

ステンレスのカウンター天板に開けられた穴。トラッシュボックスが内蔵されている。

手で触れてみると、硬質ながらも素材の持つ暖かさを感じることができる。

Seesaw Coffeeは中国・上海発のサードウェーブコーヒー。中国国内に20店舗あり、それぞれ異なる建築家が「シーソー」をコンセプトにデザインしている。BFC店では、什器や壁の再生マテリアル「圧縮再生布パネル」が建築家の挑戦であり、メッセージだろう。拡大する中国経済と消費社会の負の側面であるゴミ問題に、新素材の開発でアプローチし、社会的課題の解決とデザイン性の高いカフェ空間を成立させている。

11 通りにせり出す可動式カウンター

Dandelion Chocolate - Ferry Building（アメリカ・サンフランシスコ）
— Puddle + moyadesign

元フェリーの発着所を改修した施設内にあるコーヒーキオスク。「営業時間は1.2m共有部を使用して良い」という条件であったため、バリスタカウンターを含むすべてを可動式什器とし、閉店時は敷地内に格納、開店時は通行人とコミュニケーションを積極的にとるカウンターとして、境界にとらわれない自由な使い方を可能にした。

元フェリー発着所のコンバージョン。自然光がたっぷりと降り注ぐ2層吹き抜けた建物の1階に位置する。明るい色のレンガでつくられた奥行きの浅いアーチ状の区画はホールディングゲートを開放することで、店と通路がフラットにつながる。中央の什器から左が壁面リテール棚、右がバリスタカウンターという構成。

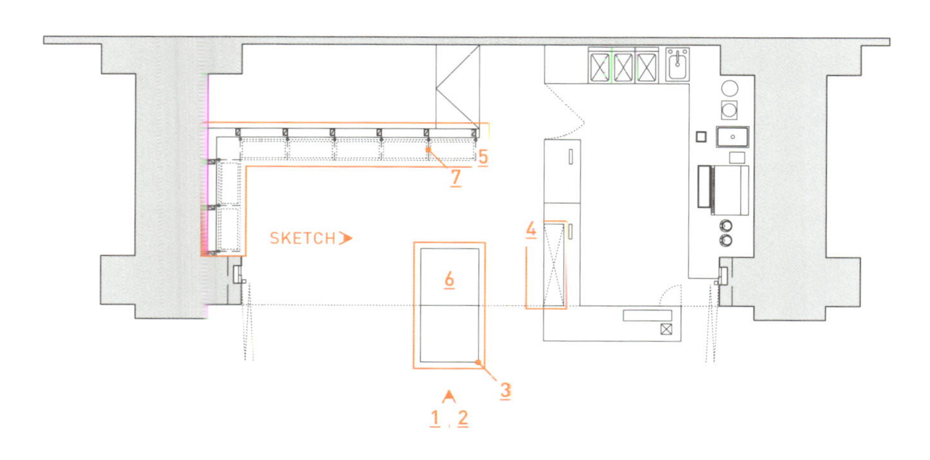

閉店時には施設共通の鉄格子のホールディングゲートが閉じられる。

可動式什器は波型コルゲート板に 6mm の銅板の天板が乗る。カットから組み立てまで工場で施工された。

ペイストリーのディスプレイ。NC 加工で波型にカットしたコルゲート板に天然大理石が乗る。

リテール棚はコルゲート板の腰壁に竹柱と銅板を組み合わせた。

中央の可動式什器。コルゲート板は扉となっており、内部は収納として使用できる。

表面を磨いた竹の柱と銅板を曲げて強度を持たせた棚のディテール。柱裏には間接照明。

筆者設計である。日本から竹を加工輸出し、アメリカの工業製品と日本のクラフトを掛けあわせた新しいカフェを目指した。この店の特徴であり、通路を行き交う人を無意識のうちに店内に呼び込む仕掛けとなった可動式什器は、高騰する現場施工人工（にんく）を抑えるため現場で施工せず、工場でつくり上げられたものを運び入れている。

12 内外の一体感を生む窓際の仕掛け

Slater St. Bench（オーストラリア・メルボルン）

— Joshua Crasti and Frankee Tan of Bench Projects

室内にもかかわらず街の一角にひらかれた公園のようなカフェがある。窓を開放して境界を曖昧にするカフェとは異なり、コーナーに配した背もたれのない低いベンチとフレームの目立たないフィックスのガラス窓が緑道の景色を取り込み、心地良い内外一体の空間をつくり出すことに成功している。

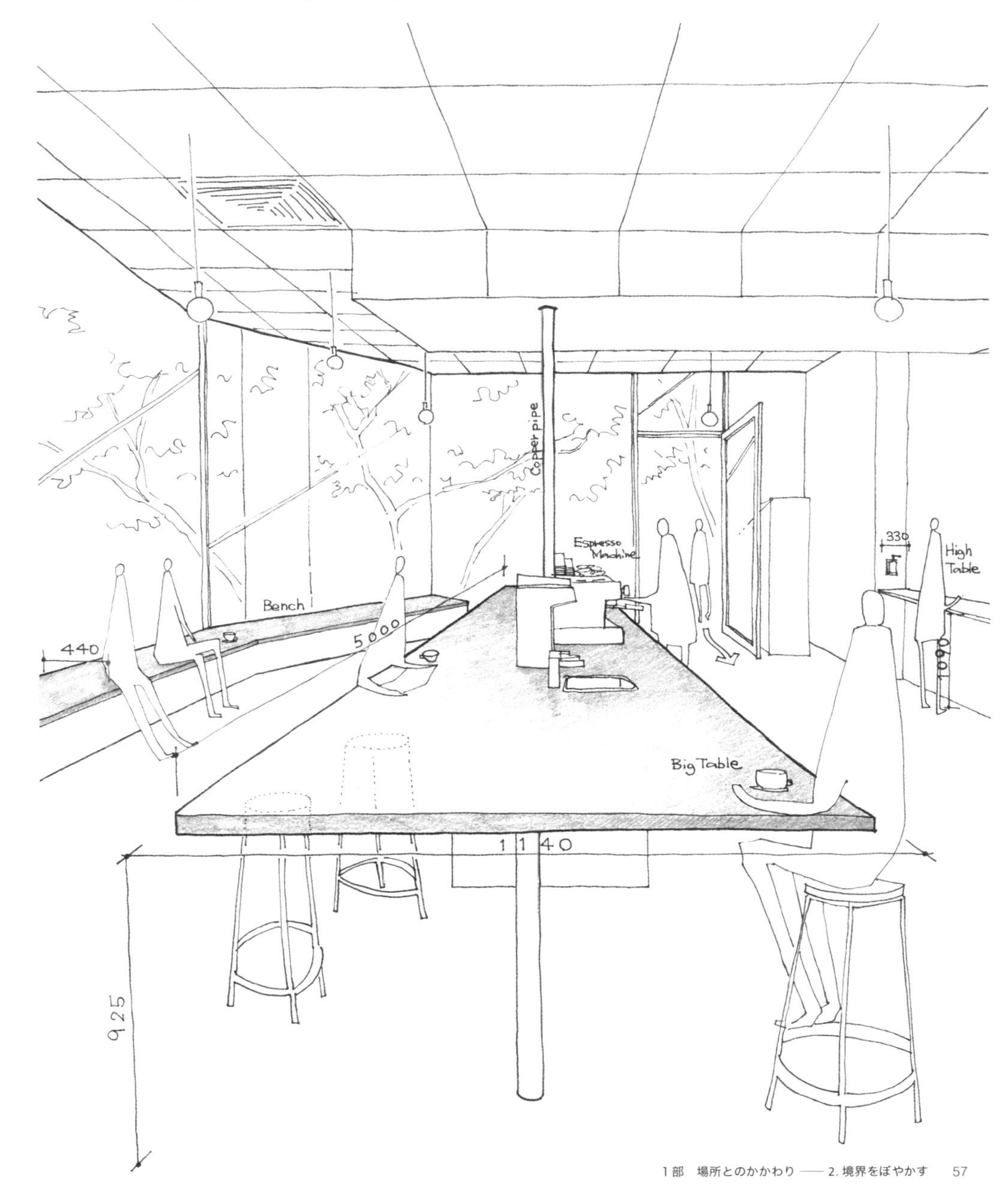

メルボルン・スレイタースストリートとトラムの走る大通りとの交差点に面した建物のコーナーにある。外壁ガラスには遮熱フィルムが貼られ、通りからだと内部は完璧には見えない。一方、外部には室内の何倍もの広さのテラス席が用意されている。

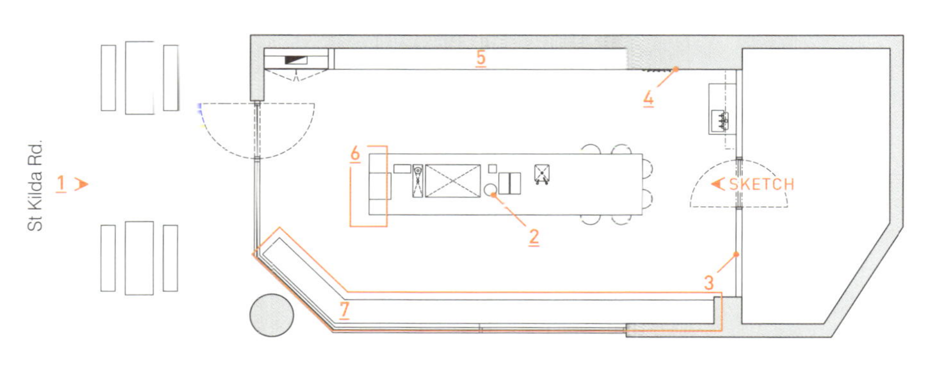

天井からカウンターに伸びる銅パイプに給排水管が仕込まれている。床下配管がなく店内はフラットである。

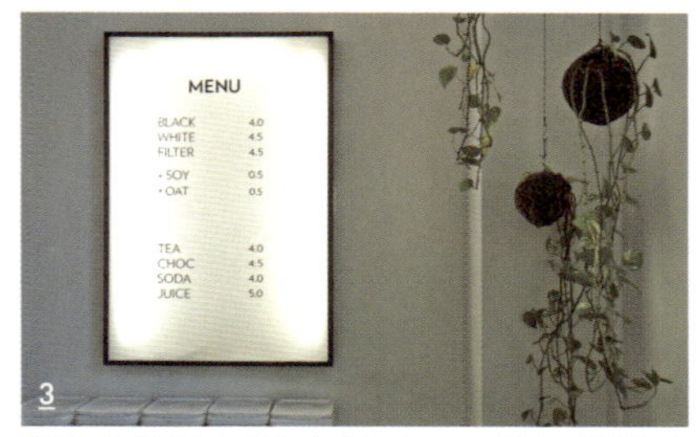

壁面に設置された優しく光るメニュー板は、照明としても機能している。

スタッフのエプロンが商品棚横にディスプレイされ、空間の表裏が曖昧になっている。

バリスタ背後の壁に取り付けたディスプレイ兼スタンディングカウンター。

コンクリートの床に設置された木とスチールのカウンターに木漏れ日が差し込む。

通りに寄り添うＬ型ベンチ。木陰が美しい。

空間の中央には、視線を遮らないシンプルなバリスタカウンターと、外壁ガラスに沿った背の低いＬ型ベンチ。どちらも古い消防署で使われていた木材を譲り受けてつくったという。バリスタも客も仕切りのない店内を回遊し、気軽に自分の居場所を見つけ自由に腰を下ろす。木漏れ日が店内にまで降り注ぎ、まるで公園の中で過ごしているかのような錯覚を与えてくれる。

13 / 視線を誘い込む組み木のトンネル

スターバックス コーヒー 太宰府天満宮表参道店（福岡県太宰府市）
—隈研吾建築都市設計事務所

通りと直交する木のトンネル。60mm のスギ角材が伝統的な仕口の「地獄組」で組み上げられている。組み木はセットバックしたガラスを貫き、緩やかな勾配をとりながら、最奥の庭まで伸び続ける。流れるパターンが参道を歩く人の視線を惹きつけ、意識を奥へと誘い込み、境界を希薄化する。

太宰府天満宮への参道、鳥居の傍にあるカフェ。組み木のトンネルが迫る大胆な意匠を用いながらも、通りからセットバックしたガラス面と、建築高さを抑えていることから、周辺環境への配慮がうかがえる。屋根先、両袖壁は、板金でシャープに納めており、組み木構造の浮遊感が強調されている。

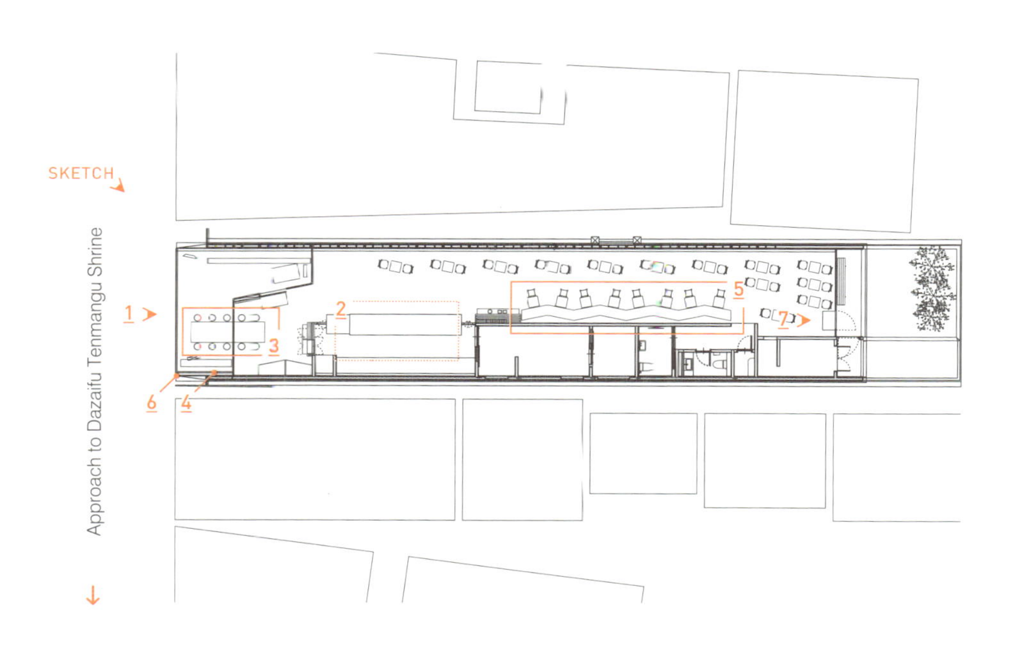

2 表面に突板を貼った組み木と同じ断面形状のペンダントライト。

3 店内より参道を見る。ガラスを貫通したテーブルが内外に一体感を与えている。

4 組み木越しに木毛セメント板壁を見る。組み木は意匠であり構造でもある。

5 組み木にならったジグザクのソファ。視線の方向が変わり、適度な距離感をつくり出している。

6 参道から見る、組み木の小口のディテール。

7 組み木のトンネルは最奥にある短い上り坂状の庭で止まり、視線が空へと向くように設計されている。

建築家は、障子戸などに使われてきた伝統構法である地獄組によって木製トンネルをつくり、その最奥に太宰府天満宮のシンボルである梅の木のある庭を配した新しい“参道”を生み出した。奇抜ながらも奥に入ってみたいと、幅広い客層の好奇心をそそっているように感じる。寺社建築が風雨等によって味わいを増していくように、このトンネルが時間をかけてどう変化していくか楽しみである。

14 エントランスにある余白の価値

SATURDAYS NEW YORK CITY TOKYO（東京都目黒区）
—ジェネラルデザイン一級建築士事務所

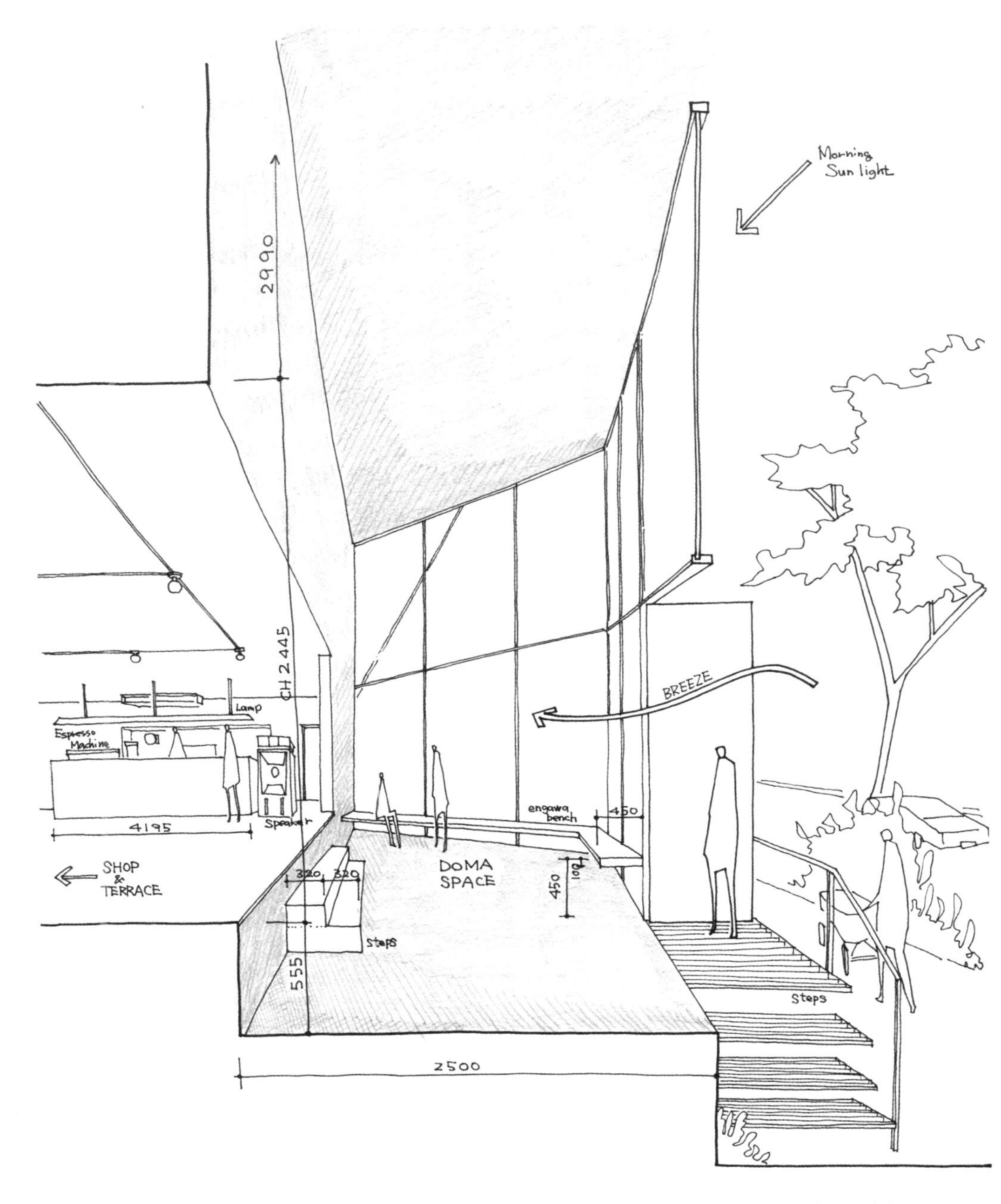

サーフ系アパレルショップに併設されたカフェ。床レベルが道路から 1m 以上高く、奥行が深くて天井は低い。この一般的にはネガティブな建築条件が、2 層分の吹き抜けと大開口を持つエントランスで払拭されている。ベンチだけが設置された余白が、客をブランドの世界へ引き込むための前室的役割を果たしている。

渋谷区代官山・旧山手通りに面する。大使館などの低層で間口の大きな建築が集まるエリア。近隣の建築のサイズに呼応するように、ファサードに大きなガラス面を持つ。夏は外壁を蔦が覆い、通りの樹木と調和する。

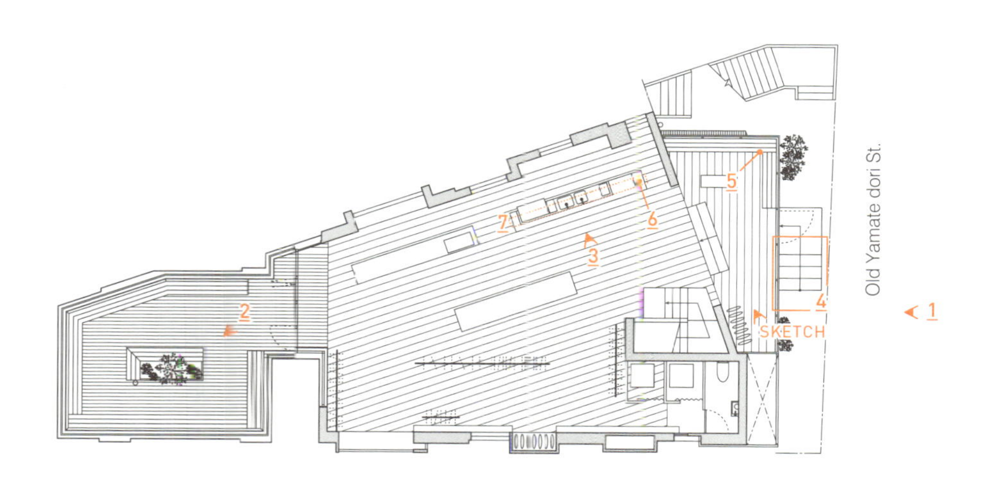

店の奥に進むとテラス席が現れる。高台から街を望む。

エスプレッソマシーンなどの機器が半分埋め込まれた、モルタル仕上げのカウンター。

通りと平行に設置された、エントランスへの階段。スチールグレーチング製。

ガラスサッシより持ち出された構造が、ベンチを軽やかに見せている。

カウンター袖の巨大なヴィンテージスピーカーが音に対するこだわりを表している。

スチール素地にクリア塗装をかけたシンプルな照明器具がカウンター上部に浮かぶ。

普通なら通りに面して商品やバリスタの様子を見せたいところだが、設計者はあえてエントランスに余白を設けることで、店全体を心地良い空間へ昇華することに成功している。都市のカルチャーとサーフィンを融合させるというブランドコンセプトに基づき、このボリュームが店と遠く離れた海をつなぐのに重要な、マインドをリセットする装置として機能していると考えられる。

15 アプローチというファサード

ブルーボトルコーヒー 三軒茶屋カフェ（東京都世田谷区）
―スキーマ建築計画 長坂 常、松下有為、仲野康則

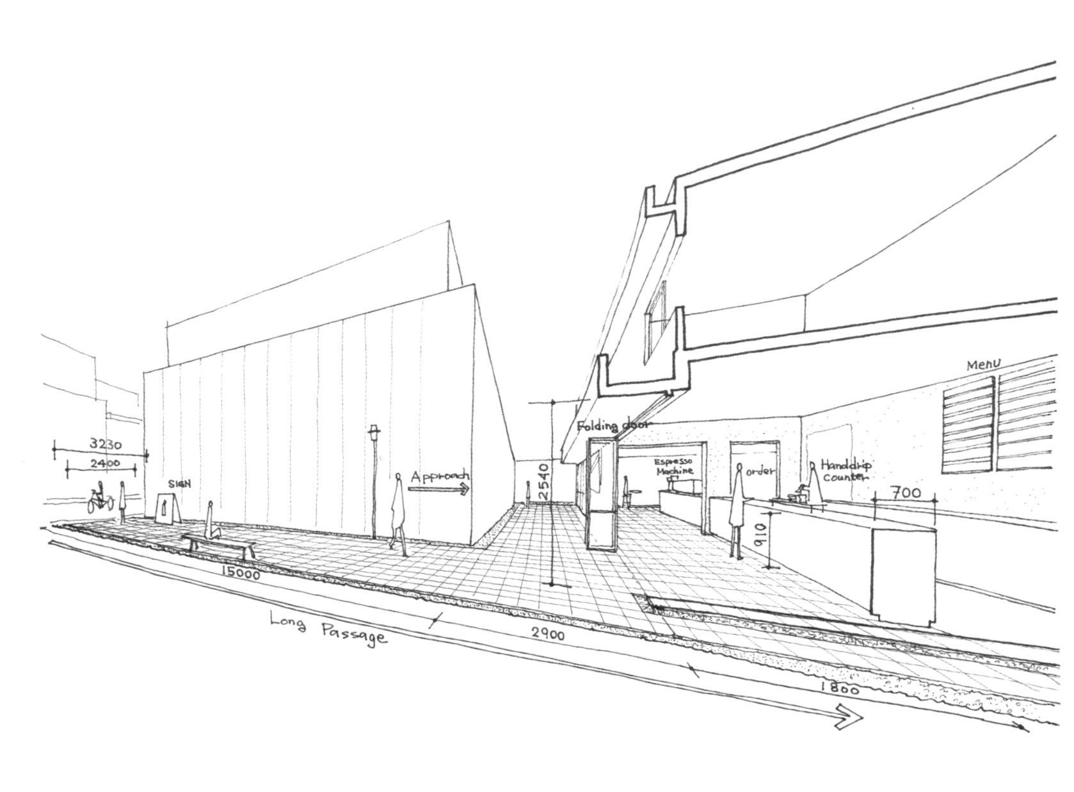

敷地いっぱいに建物をつくり、個性的なファサードを構えるカフェが多いのに対し、ここは間口が狭く手前が細長い旗竿敷地を素直に受け入れている。床のコンクリート平板以外何もない贅沢なアプローチは、完全な外部でありながら、そのしつらえによって空間の重要な一部として感じられると同時に、カフェへの期待感の増幅装置として機能している。

かつて住宅兼診療所であった建物の1階をカフェへとコンバージョンしている。正面にはバリスタが構え、三軒茶屋の商店街を歩く人々を静かに見守っているようにも感じられる。右側の小道は2階に住む家主の住居へのアプローチであるとともに、ギャラリーと裏庭へ続くアプローチでもある。

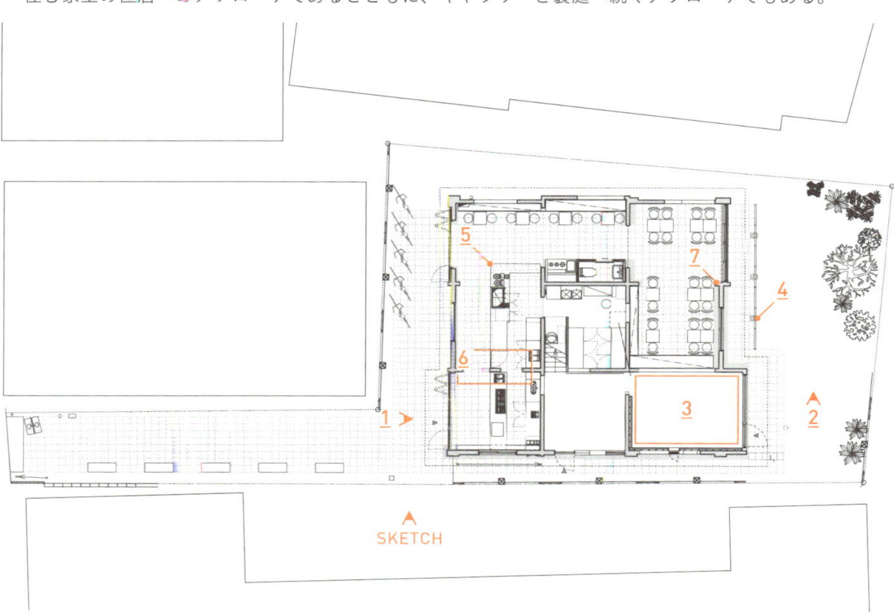

診療所時代のまま残された既存の庭を眺めるスタンドテラスが設けられている。

庭からのみ入ることのできる明確な仕切りを持たないギャラリースペース。

外部のフラットバー手摺に経年変化が見える脱着式の耐水性バーチ合板テーブルが浮遊する。

底目地が取られた白いカウンターは、コンクリート平板から浮遊した印象を与える。

躯体を貫通するようなコーヒーカウンター。バリスタと客はそれぞれの開口を行き来する。

既存躯体のテクスチャーを残すことが、新規の造作家具とのコントラストを強調している。

設計者は旗竿敷地の難点とも言える細長いアプローチを、あえて「何もない空間」とすることで、外と内が一体となったファサードをつくりあげた。これは外部を含めた敷地全体をカフェ空間にしたとも言える。多くの商業施設が積極的（時に攻撃的）なファサードやサインをつくりがちな今日、ちょっとのぞき込まなければ、意識しなければ顔が合わないというこのカフェのファサードのあり方から学ぶことは大きい。

16 街にひらけた小さな軒下

ONIBUS COFFEE Nakameguro（東京都目黒区）
―鈴木一史

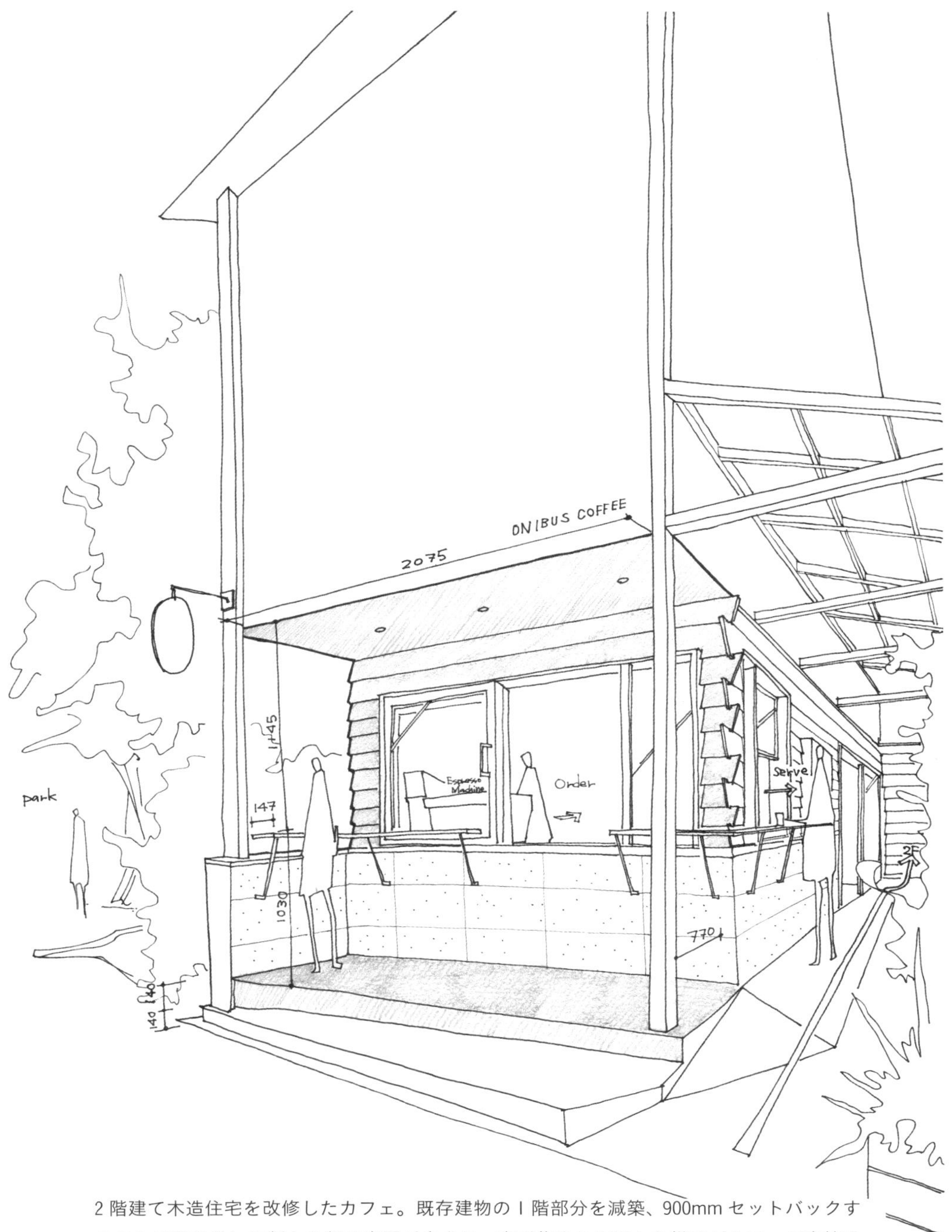

2階建て木造住宅を改修したカフェ。既存建物の1階部分を減築、900mmセットバックすることで通り沿いに新たな軒下空間が生まれ、客が集まる賑やかな様子がカフェの表情をつくり出している。左右に取り残された木柱が、改装前の建築のボリュームを静かに伝えてくれる。

東急東横線沿いの公園に隣接した2間間口の2階建て木造建築。セットバックしたオーダーカウンターの凹みに張られた大谷石と鎧張りの仕上げが特徴的なファサードで、公園と敷地内部のいたるところに設けられた緑とよく馴染んでいる。写真右の庇を通り抜けると2階の客席へとつながる。

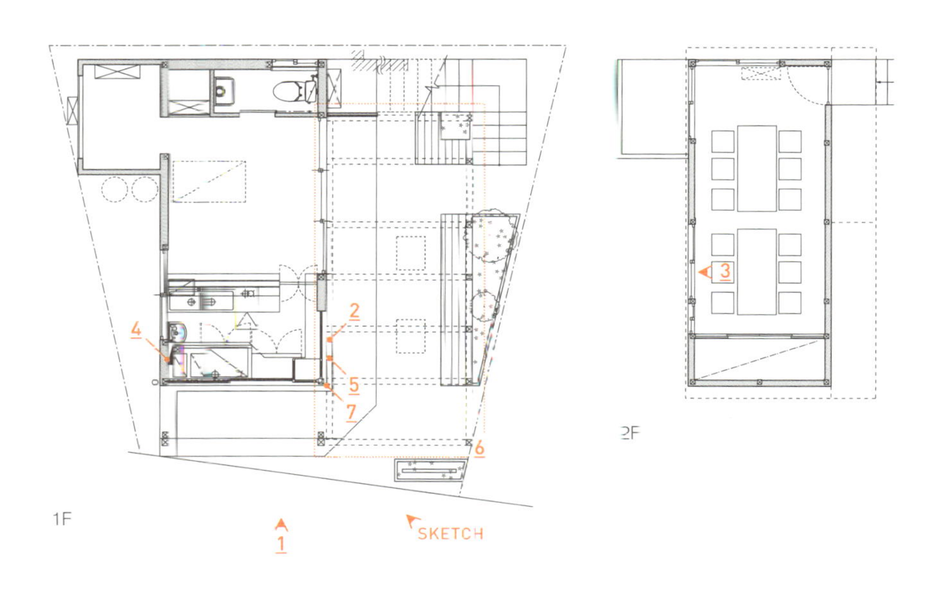

2

側面に設けられたピックアップカウンター。

3

2 階客席の窓には既存の障子フレームが再利用されている。隣接する公園を望む。

4

スタンド内はオリジナルの常滑焼きタイルが埋め尽くす。

5

150mm 幅のスタンディングカウンターがバリスタとのコミュニケーションを生む。

6

2 階への外部階段上部に設置された木とアクリルの庇。

7

1 階の腰壁に使用された大谷石。木造建築の調湿を助けているのであろうか。

元々小さな建築にもかかわらず、さらに面積を減らしている。普通なら売り場面積は大きくとるものだが、ここではその真逆の手法がとられている。こうした施主と設計者のチャレンジが、内部的な軒下という顔を生み、キオスクの新しいかたちを提案している。客とバリスタのミーティングポイント、コミュニケーションの場をうまくつくり出した良いアイデアだ。

17 半地下から通りを眺める

GLITCH COFFEE BREWED @ 9h（東京都港区）
—平田晃久建築設計事務所

カプセルホテルの閉じた性格になぞらえるように、レセプションエリアにひっそりとあるカフェ。半地下であるがゆえに、通りからは一見隠れた存在となっているが、モノトーンで統一された空間の中にある木のカウンタートップがちょうど前面道路の高さとそろっており、外構の緑とシームレスにつながった絶妙な開放感を生んでいる。

1

赤坂駅の裏通りに建つ地上４階建てのカプセルホテルの半地下にある。白いキューブ状の建築のボリュームが黒く塗られた構造によって支えられている。外構を緑化することによって、カフェは通りからはあえて隠れたような存在になっている。写真右のスロープよりアプローチする。

2 カウンタートップに等間隔で固定されたオリジナルのドリップスタンド。

3 エントランス上部の吹抜けは、空気の循環だけでなく光井戸としても機能している。

4 バリスタカウンターはホテルのレセプションカウンター（写真右手）へとつながっている。

5 白く塗られた腰壁にラーチ合板の天板を乗せただけのシンプルなバリスタカウンター。

6 宿泊階とカフェが吹き抜けを通してつながり、コーヒーの香りが上層階にまで立ち昇る。

7 エントランス横の外部植栽はスロープの勾配に合わせてひな壇状に計画されている。

神保町に焙煎所を構えるカフェオーナーによる、日本初のシングルオリジンのハンドドリップ専門店として誕生したカフェ。部屋での滞在時間が短いカプセルホテルの客の、限られた朝の時間を最大限に豊かにしているのではないだろうか。ここにはエスプレッソマシンもミルクも置いていない。シンプルなブラックコーヒーだからこそ生み出せる価値があると感じる。

18 時間を閉じ込めた船

六曜社 コーヒー店（京都府京都市）
— デザインアート

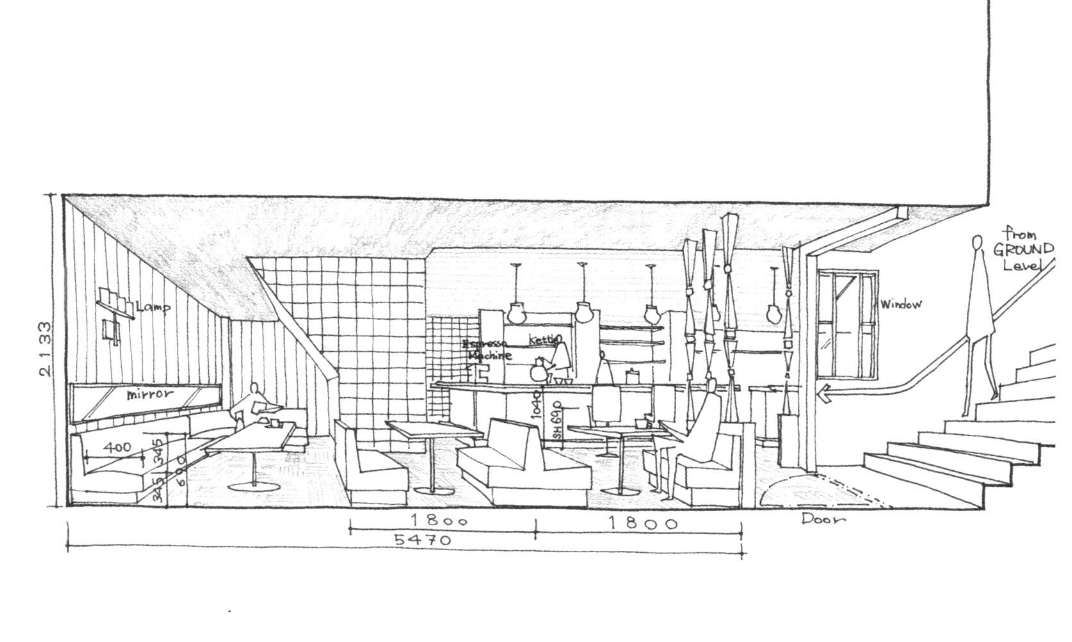

賑やかな商店街の地下で70年近く営業するカフェ。木を中心にレンガやタイルなど重厚で品のあるつくりの店内は、特徴的なアールがかかったバーカウンターを中心に革張りのソファなど懐かしい喫茶店の雰囲気が残る。わずかに地上の光が差し込む様子はまるで船の中のようで、都会の喧騒を忘れられる居心地の良さがある。

京都・河原町三条交差点の近くにある。地階へは幅950mmの階段からアプローチする。同じオーナーが運営する1階の喫茶店と合わせて、山吹色に仕上げられた特注のタイルと「Coffee」の文字が特徴的だ。長くこの場所に在り続ける店が放つ重厚感をファサードから感じる。

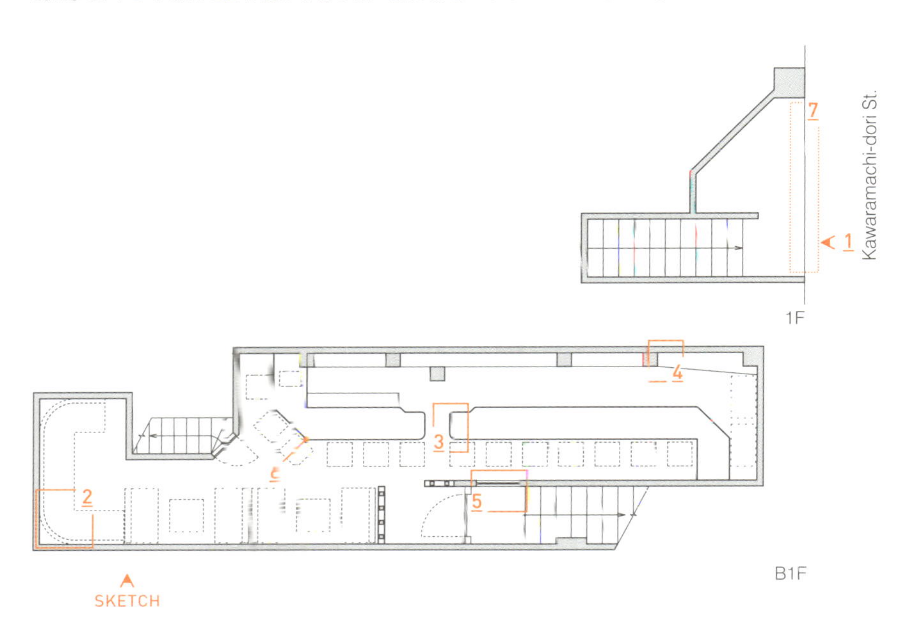

コーナーソファー上部の小さなミラーが品良く空間に奥行きをつくり出している。

バー時代から残されたカウンターの大きめのアールは、腕を乗せるのにちょうど良い形状。

ファサードと同じ50年以上前に京都の職人によってつくられたオリジナルタイル。

階段下の入口脇に設けられたあかり窓からは店内を眺めることができる。

木製カウンターとレンガのフットレスト。

ファサードの下がり壁に設置された店名より目立つ「Coffee」の切り文字。

1950年に先代が喫茶店としてオープンし、一時期バーでもあった空間は、時を重ね、当代に引き継がれてから40年余りが経過する（現在も夜にバータイムがある）。地下であるがゆえに、外部環境と切り離された細長い空間に腰を下ろすと、しばらく時間が経つのも忘れてしまう。わずかに光が差し込む都心の地下空間で、語り合いながら時間をかけてコーヒーを楽しむという京都の珈琲文化を体感することができる。

19 無窓空間におかれたバリスタの舞台

KOFFEE MAMEYA（東京都渋谷区）
— 14sd / Fourteen stones design

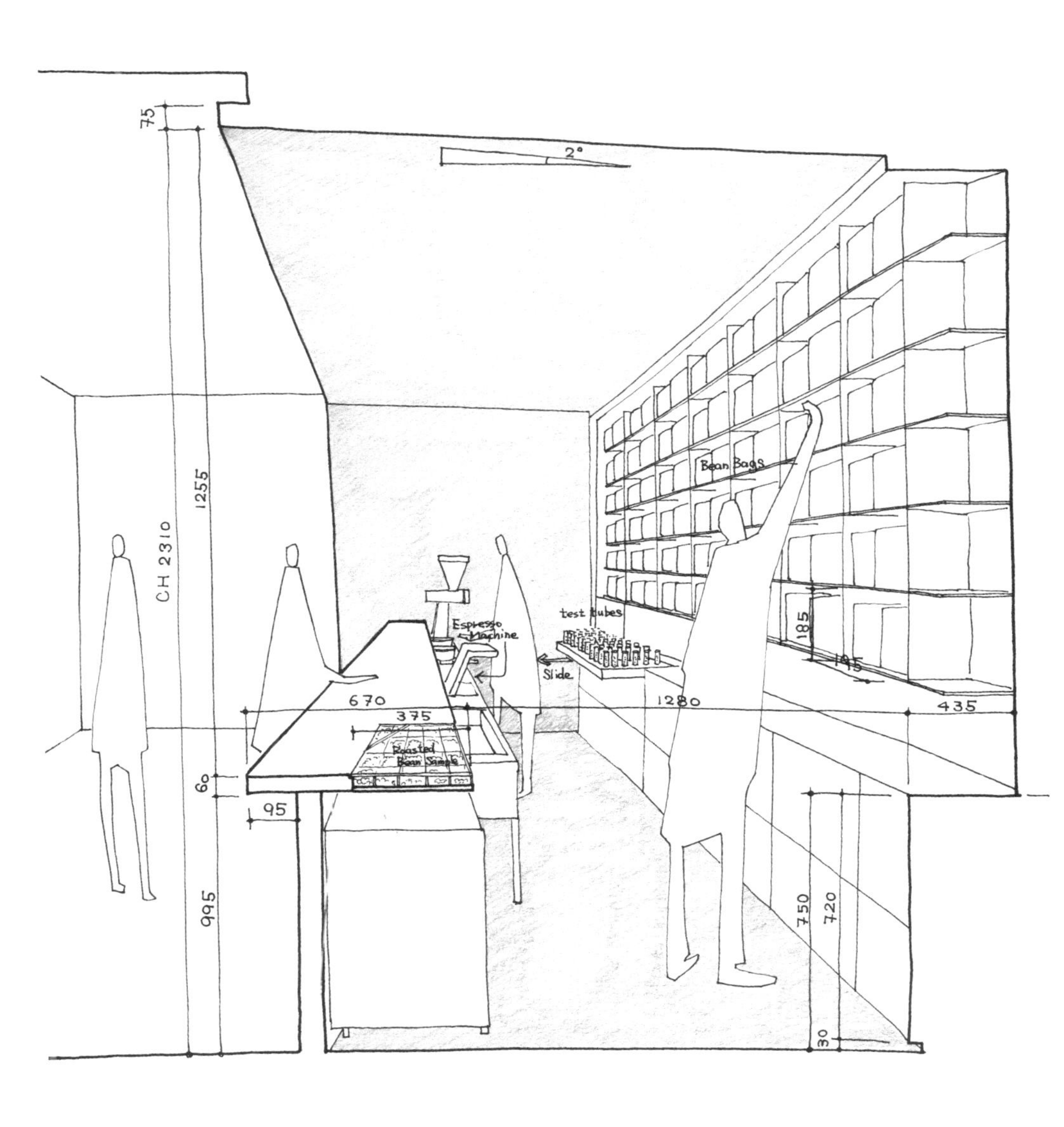

スタンディングのキオスクにラボが併設されたビーンズショップ。窓がなく、外からは店内の様子がうかがえない。モルタルでできた薄明るい空間に、木製の入れ子状キオスクが客とバリスタの領域を分ける。白衣のバリスタがコーヒーを淹れる姿と厳選されたコーヒー豆だけが眼に映る。舞台を観るような、緊張感が漂う特別なコミュニケーションが生まれた。

表参道の中心からわずかに離れた住宅街にひっそりと佇む。焼杉のファサードにサインは一切ない。エントランスは1.5mほどの頭を下げて潜る高さに抑えられ、その奥正面に小さな真鍮製のロゴと盆栽が出迎える。

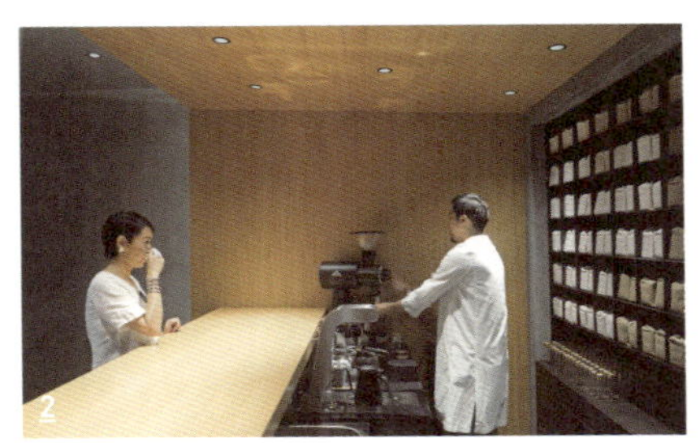

高さ 1050mm のカウンター上には何も置かれず、コーヒー豆だけが見えるように配慮されている。

目線の高さに開けられたスリットを通してラボを見る。

カウンターの後ろは黒皮スチール板のみで構成されたコーヒー豆の陳列棚。

ラボの壁はクロメート鉄板仕上げ。焙煎による豆の変化を金属の化学反応に見立てたのだろうか。

カウンターに埋め込まれた 5 × 5 マスの焙煎豆サンプルケース。

アプローチの敷石は茶室の露地を思わせる飛び石で構成されている。

「コーヒーを処方する薬局」だというこの店は、一粒、一杯を一人ひとりの客に丁寧に処方することを大切にしている。その精神を示すように焙煎度別にコーヒー豆を見せるサンプルケースがロゴマークになった。コーヒー好きはもちろん、都会で失われがちな緩やかな時間の流れを求める人々を受け入れる器として設計されている。結果、通りとの関係を極限まで断つという方法をとったのではないだろうか。

column1　際を設計する

設計者なら誰しも、場所とのかかわりを考えながら設計しているだろう。僕は、常に“ひらくこと”を意識している。ロジックと言うにはまだ拙いので（それは今も模索しているところ）、これは僕の設計に対する基本的な姿勢とでも言っておこう。

もちろん住宅や他の建築を考える時も同じだが、特にカフェにおいては、商業施設としての顔先や中身を考える前に、街や通りと建物や空間が分断しないようなあり方を大事にしたいと思っている。それは、僕がそもそもカフェという場を、ただコーヒーを提供したり、一息つくためだけの場というのではなく、バリスタや客、地元の人や遠方からの人などという、所属や立場に関係なく、コーヒーを通じてそれぞれにとって特別な体験ができる空間であってほしいと考えているからだ。

例えば、外からも内部の営みが感じられたり、通りと一体化したかのような空間づくり、これを「際の設計」と呼んでみることにする。

ありがたいことに、カフェを含め、これまでに少なくない数の建築・空間を設計させていただき、それぞれで際の設計を実践することができた。**1. 環境を借りる**で紹介した「Dandelion Chocolate, Kamakura」もその一つだ。

際の設計のためには、まず場所の特性を見出す必要があるが、中でも「変えてはいけないもの」の判断が重要になる。このために、初めて現場を見に行く時はいつもピュアな気持ちで臨むように心掛けている。

この場合、手前の階段から敷地を通り抜ける生活動線が、変えてはいけない特性だと早くから見極められた。そのため、新たにつくるカフェが、この生活動線に巻き込まれ日常の一部に溶け込む……というイメージがすぐに固まり、設計も進めやすかった。ここでは際としての生活動線の設計を試みた。竣工から数年経った今、実際に様々な人が集い語らう、そんな風景ができつつあるのではないかと感じている。

一方、同時期に竣工したPuddleの現事務所は、際の設計によって設計事務所の新しいあり方を期待させる、そんな建築だ。

Puddleの現事務所は、築40年以上の鉄骨3階建て建築の1階をリノベーションしたプロジェクトである。代々木公園と渋谷駅の間に位置する神山町は、小さな商店が賑わいを見せる通称「奥渋」と呼ばれる商業エリアと閑静な住宅街が隣り合い、都心でありながら落ち着いた雰囲気が感じられる街で、敷地はこの商業エリアから住宅街へと伸びる上り坂の途中にある。

当初この敷地のオーナーは既存建築を取り壊して新築を検討していた。当時事務所を探していた僕は、この敷地の特性にほれ込みオーナーに直談判、お借りすることになった。

ここでは、商業エリアと住宅地の結節点となるべく、事務所のエントランスをその際と捉えて設計した。元々ガレージだった1階の事務所部分の大開口を生かしたガラスのファサードは、通りからでもエントランスに配置した打合せスペースとエスプレッソマシーンを備えたキッチンがよく見える。近所の住民や知り合いが前を通れば窓越しにも挨拶を交わすことができ、視覚的にも感覚的にも通りと一体となったような開放的な雰囲気に包まれている。設計作業に没頭すると、どうしても事務所内が閉塞的な雰囲気になってしまいがちだが、ここではふと顔を上げると外の様子が感じられ、自分たちが街の一部であることを認識できる。

今はまだ設計事務所としての機能しかないが、ゆくゆくはより街にひらかれた場として活用し、さらに中間的な場にできないかと考えている。

常々ひらくことを意識しながら設計してきた僕にとって、**3. 外との関係を絶つ**は興味深い手法だった。商業建築であるカフェ空間において「閉じる」という選択をしたオーナーと設計者は先見的だと思う。確かに、インターネットが普及し、宣伝的な意味合いによって街にひらく必要は最早ないし、誰に何を届けたいかという強いコンセプトと、より特別な空間体験を目指しているのであれば、こうした閉じた空間も一つの解答であろう。事例の数がこの種のカフェ空間設計の難しさを物語っていると思うが、これからの時代、街や人同士がかかわり合う場としてのカフェがさらに主流化してくると思う一方、それだけではないかかわり方の提案もできるよう、設計者として引き続き学ばなければいけないだろう。

Puddle 事務所（2017 年竣工、東京都渋谷区）

2部

people

人とのかかわり

魅力的なカフェ空間には「入ってみたい」と思わせる仕掛けがある。例えば中の客の賑わいや楽しげな様子が見えたり、他の客と近すぎず一人でも落ち着けそうな雰囲気が感じられること、もちろん独特で面白いデザインが目を引く場合もあると思う。ただ、そこでは必ずカフェで過ごす自分の姿を想像しているはずだ。

2部では、人を巻き込もうとするデザイン的工夫が見られた14件のカフェを集めた。以下の三つの視点で、不特定多数の人が集まるカフェ空間での親密性のデザインについて読み解いていきたい。

1. 人がつくるファサード

空間を取り巻くように人が留まり、人がファサードの一部になっているカフェ。窓辺やカフェ周辺に客席を配置するのが特徴である。

2. 人をもてなす距離

人同士の距離を主軸にデザインしたカフェ。オリジナル家具や、狭小地におけるゾーニングへの工夫が見られる。

3. 営みの掛け算

異なる用途が共存するカフェ。職住一体や異業種混合などが見られる。

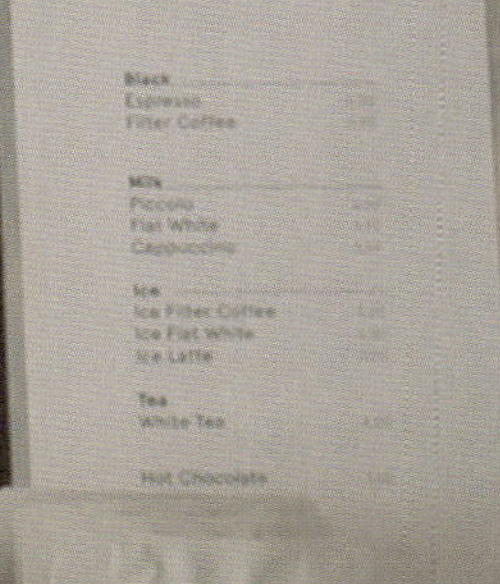

20 摺り上げ式窓がつくる都心の小さな縁側

Elephant Grounds Star Street（中国・香港）

— Kevin Poon collaboration with JJ Acuna

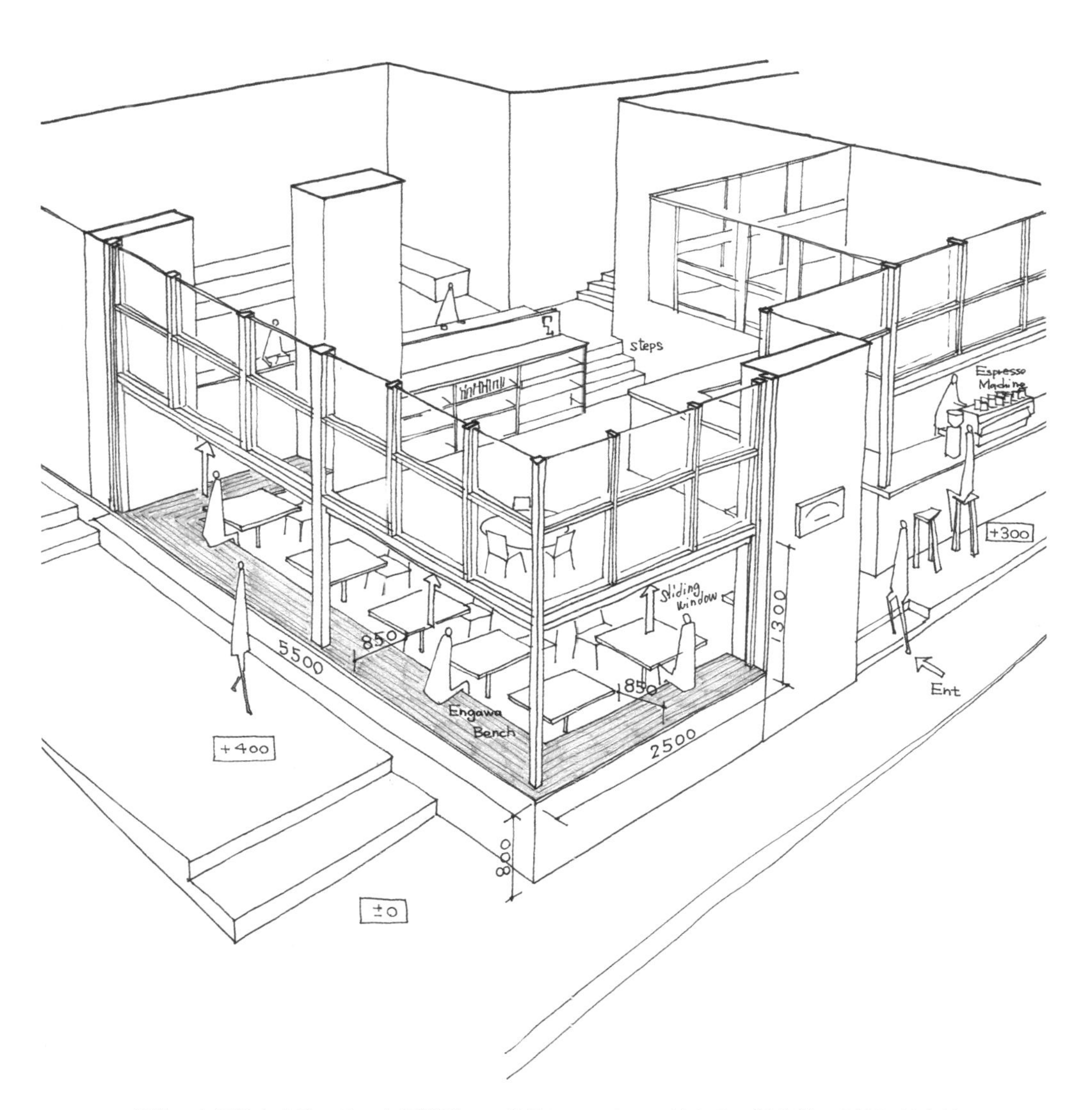

香港の大通りから脇に入った坂道沿いの角地にこのカフェはある。通り側の２面にはオリジナルの摺り上げ式窓が取り付けられ、それと合わせるように縁側のようなベンチが設置されている。店内で過ごす客の様子を外部に表出する個性的なファサードが、密集したビル群の中で“抜け”をつくり出している。

香港島・ウィンファンストリート沿いに建つカフェ。島の頂の方向に向かう坂道（写真左）に面しており、縁側のようなベンチがある。写真右半分にはセットバックしたガラス面を背後にコーヒーカウンターが見えるが、このカウンター横より店内にアクセスする。

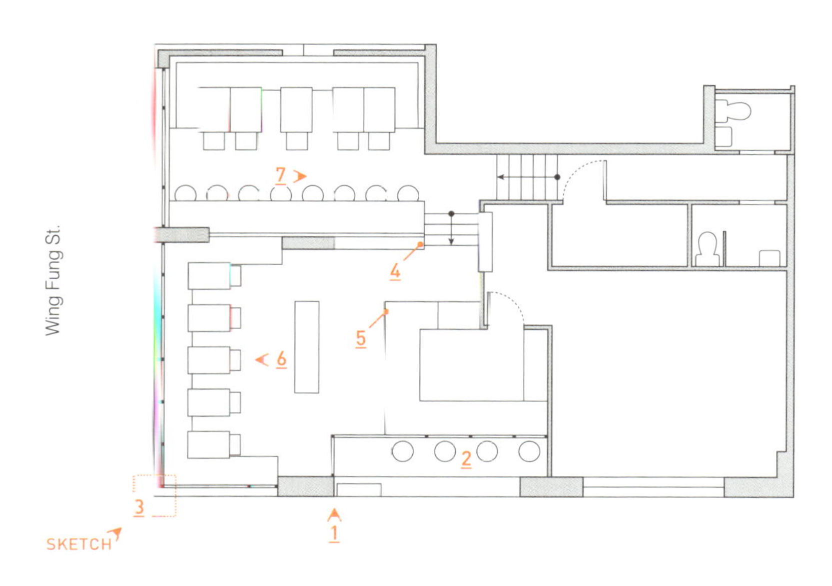

コーヒーカウンター外部に設置された、象を彷彿とさせる木製スツール。

摺り上げ式窓のコーナー部を外部より見上げる。

銅管でつくられたセルフサービスの飲料用水栓。

ヘリンボーン張り目地に合わせて設置された黒いカウンター。

店内より縁側的なベンチ越しに前面道路の坂道を見る。

ハイテーブルが設置された床レベルの高い客席からは店全体が見渡せる構成。

摺り上げ式窓によってコンパクトにひらかれた縁側的な空間が生まれ、大通りの喧騒を抜けた路地に新しい風景をつくり出している。窓を開けられない高層ビル、マンションが密集する中において、二つの通りに面した風の抜ける縁側的なベンチは地元住民と観光客の憩いの場となっている。また、取材中に突如豪雨が降り出したが、摺り上げ式窓は一瞬にして閉めることができ、優秀な機構だと再認識した。

21 現代版パリのオープンテラス

KB CAFESHOP by KB COFFEE ROASTERS（フランス・パリ）
— KB Team

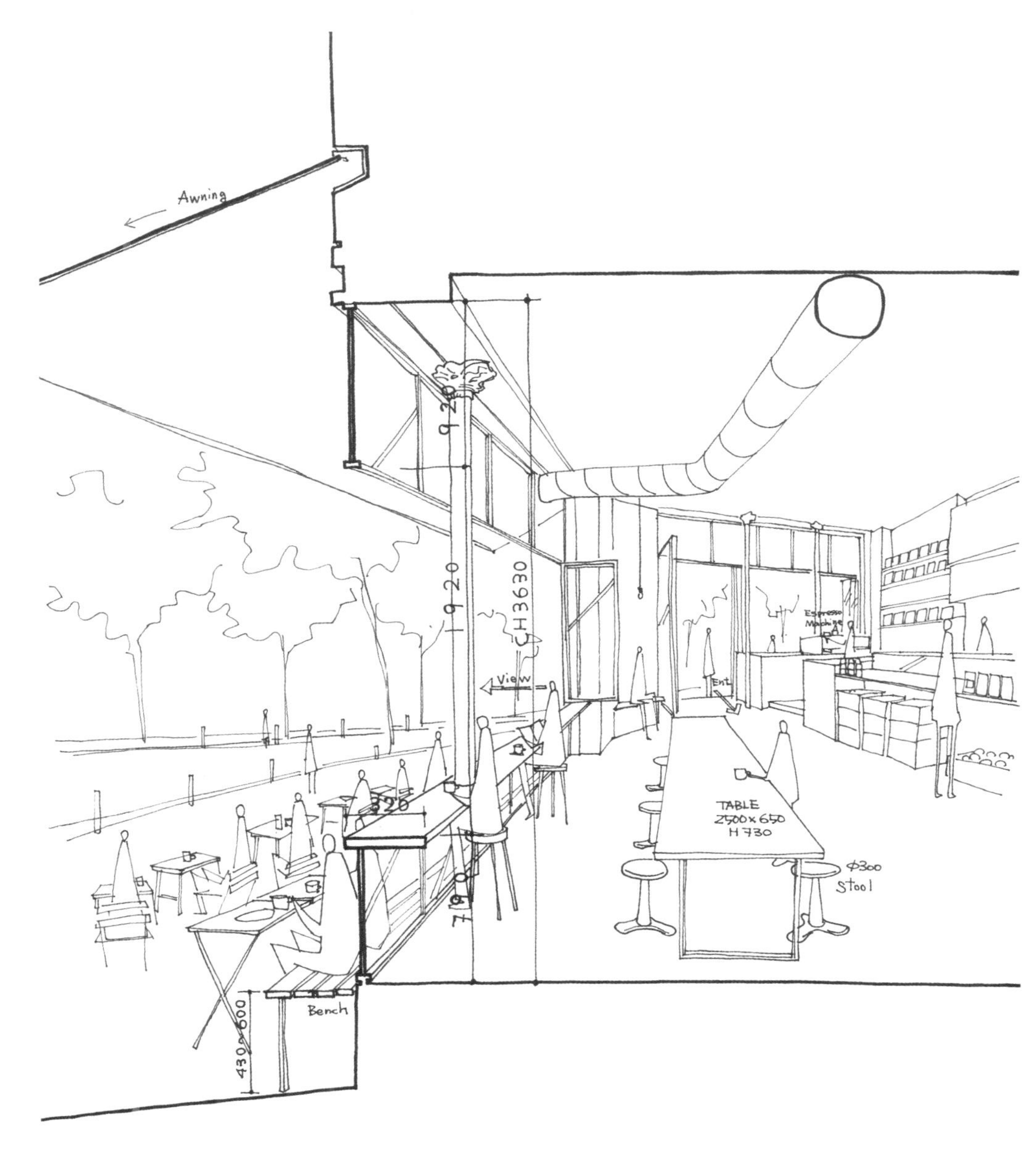

パリの統一された白亜の街並みの中で、黒い鉄板の外観と水色のオーニングが目を引く。緩やかな勾配のある角地の特性を利用して、エントランス、窓辺の席、オープンテラスのレベルが変わり、様々な人の顔が見える賑やかなファサードをつくる店となっている。伝統的なパリのオープンテラスのリデザインと言える。

パリ9区トリュデーヌ通りとマルティール通りに面するカフェ。築100年以上の建物の1階にあり、懐かしい雰囲気の街角にはおしゃれな若者や家族連れが集う。白く塗られた天井の高い店内に入るとDIYらしい木製キッチンが客を迎え入れてくれる。

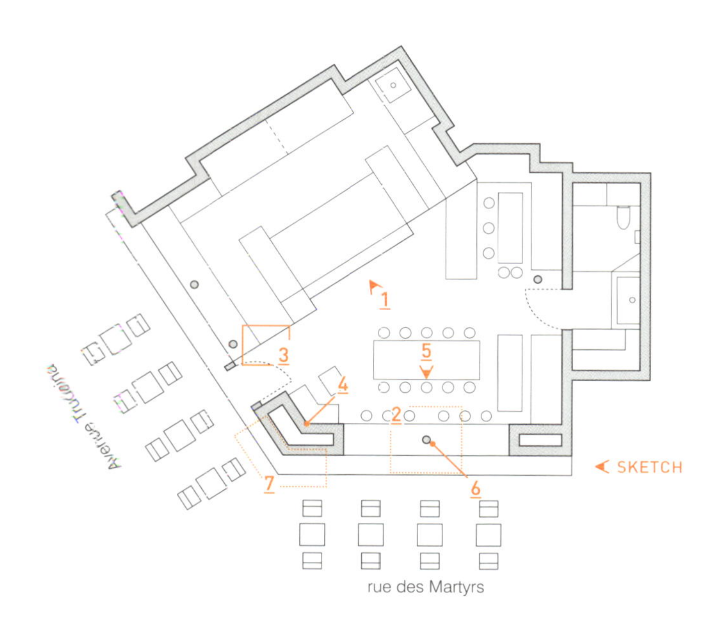

2 外壁サッシの黒と天井の白にはっきり塗り分けられたオーナメント。

3 集成材のバリスタカウンター。キッチン床は 200mm 上がっている。

4 L 型ベンチの背面の壁は腰より上部を剥離したラフな意匠にしている。

5 黒く縁取られた開口より外部を見る。

6 既存の柱が貫通する奥行き 400mm の窓辺のカウンター。

7 シンプルなオーニングと上部のデコラティブな壁が良いコントラストをつくり出している。

華の都パリ。美しい街並みは 19 世紀の「パリ改造」によって計画的に整備されたおかげだ。数万の建物を壊し、高さや屋根の傾き、バルコニーの位置、建材などを規定し建て直したという。その歴史的な建物をどう残し、引き継ぎ、新しい景色をつくっていくのか。この店では、あえて既存の建築を踏襲せず、意図的に黒い鉄板のみでシンプルに仕上げている。この現代的なファサードが、人の営みを際立たせるフレームとして機能しているのではないか。

22 通りにつながるサウナ式ベンチ

HIGUMA Doughnuts × Coffee Wrights 表参道（東京都渋谷区）
— CHAB DESIGN

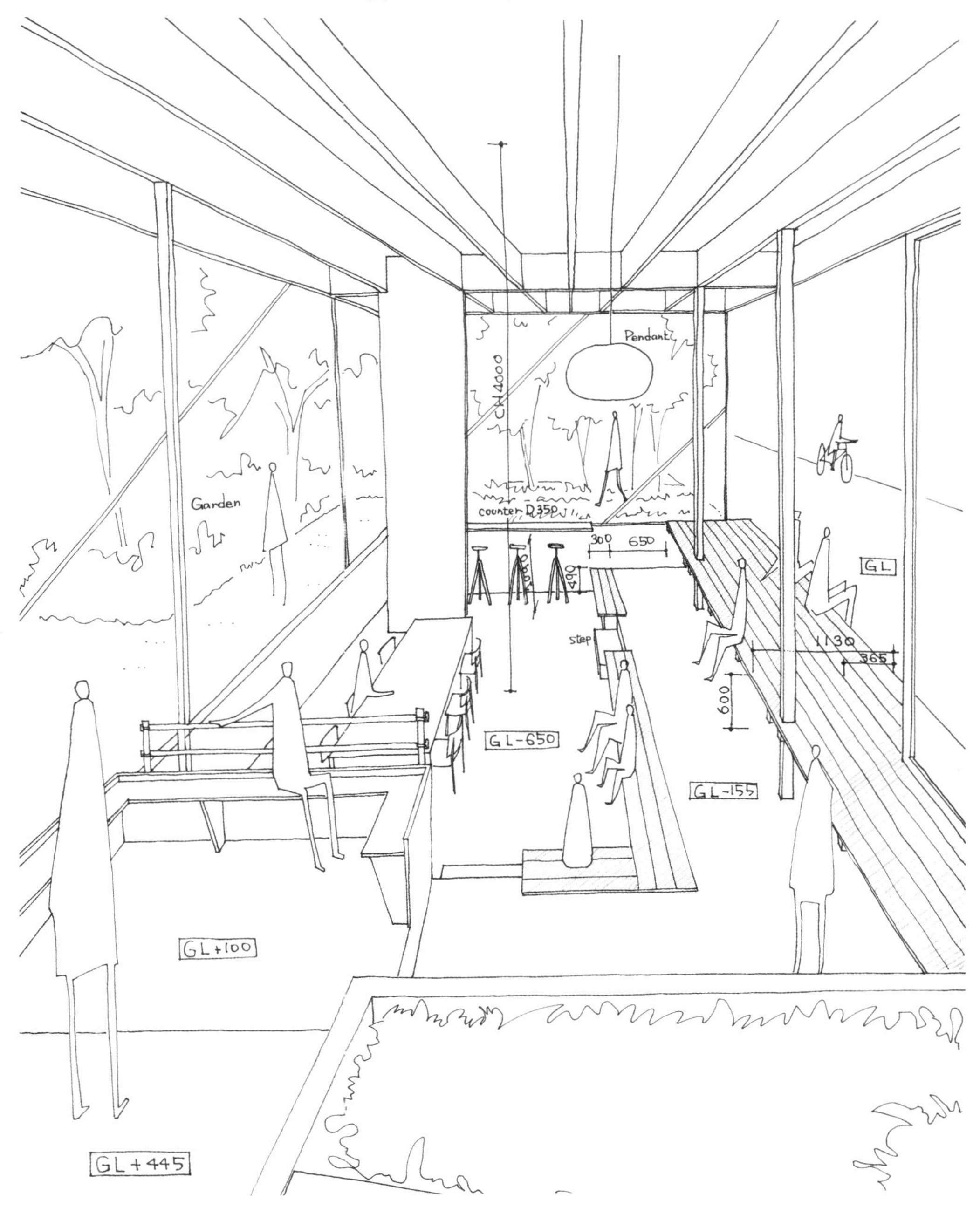

通りに面する巨大なガラス引き戸を開けると、まるでサウナのような階段状の店内が現れる。客席は道路レベルから段状に掘り下げられているのが特徴だ。最も高いベンチの座面は引き戸を通して外まで連続した縁側のようなつくりで、客が思い思いの場所でくつろぎ、語らうことによって様々な表情をファサードに生み出している。

渋谷区神宮前の住宅街にある。引き戸のサッシの高さに合わせた突き出しベンチは、単管パイプによって仮設的に持ち出されている。建築内部は木造スケルトンで構造を隠すことなく美しく見せている。右の通路は敷地奥につながる私道。視線は店内を通って奥の庭まで抜けている。

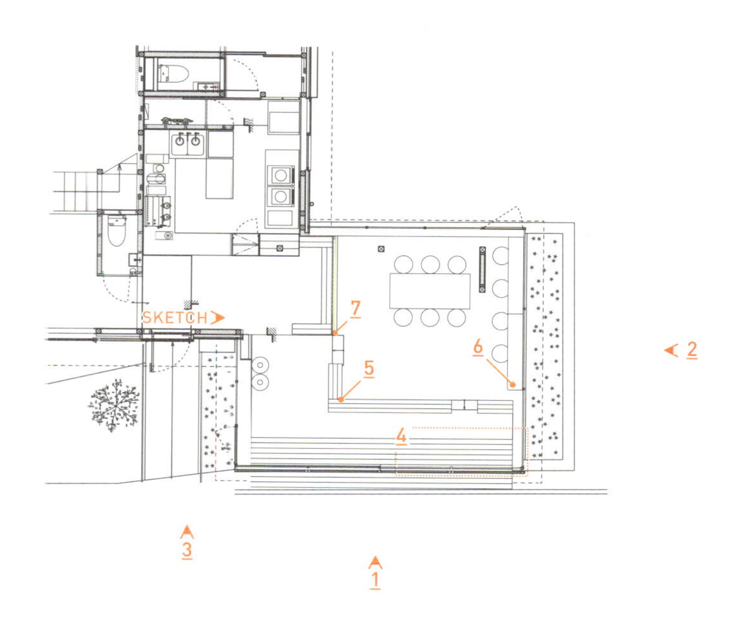

2 外部サインは高さ 455mm の外装材に合わせて、店名ではなく、商品を記している。

3 エントランスまでのレベル差を解消する単管パイプと縞鋼板のシンプルなスロープ。

4 格子状に組まれた木造集成材の梁とガラスサッシのシンプルな納まりが開放感を生み出している。

5 道路レベルから掘り込まれた通路兼席。座面下は収納として機能している。

6 サッシの下場を利用した奥行き 340mm のカウンター席。

7 エントランスのスロープやベンチを支える単管パイプは室内では木と組み合わせて手摺となっている。

元々は築 60 年の違法建築群であったが、行政と連携し「ミナガワビレッジ」として再生された。その顔となるコミュニティカフェの機能を担ったドーナツ＆コーヒーショップ。床レベルを下げることで天井高を高くとったこの建築の長所を生かすミニマムな設計手法が、コンクリートとベニヤと単管パイプというどこでも手に入る建材と資材によって、どこにもない開放的なカフェを住宅街につくり出した。

23 ストリートファニチャーがつくる通りの顔

三富センター（京都府京都市）

— cafe co.

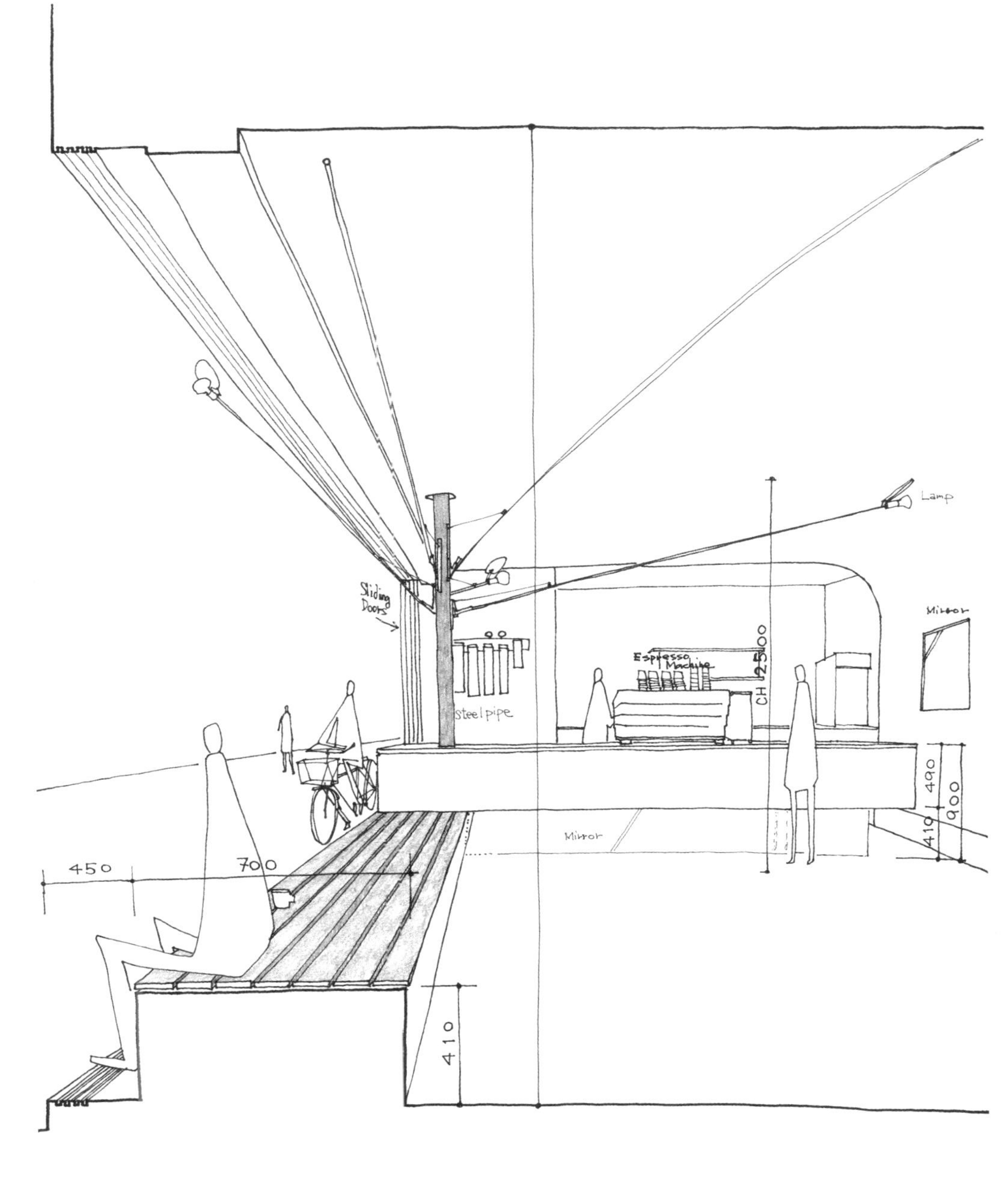

元美容室を同じデザイナーがカフェにコンバートした。角のない白い壁と天井で包み込んだ店内は４枚のガラス引き戸と充分な奥行きを持つベンチによって通りと積極的につながる。浮遊感のあるモルタルのバリスタカウンターと直交するベンチがストリートファニチャーとして機能しており、腰掛けた後にカフェであることに気づく人もいるようである。

三条通りと富小路通りが交差した角地にあるカフェ。富小路通り側の大きなガラス戸をひらけば、マッシブなベンチがストリートファニチャーのようで、店全体が通りと一体化してしまう。カウンターの丸柱から伸びる動きのある特注の間接照明がスクエアでシンプルなファサードに味付けしている。

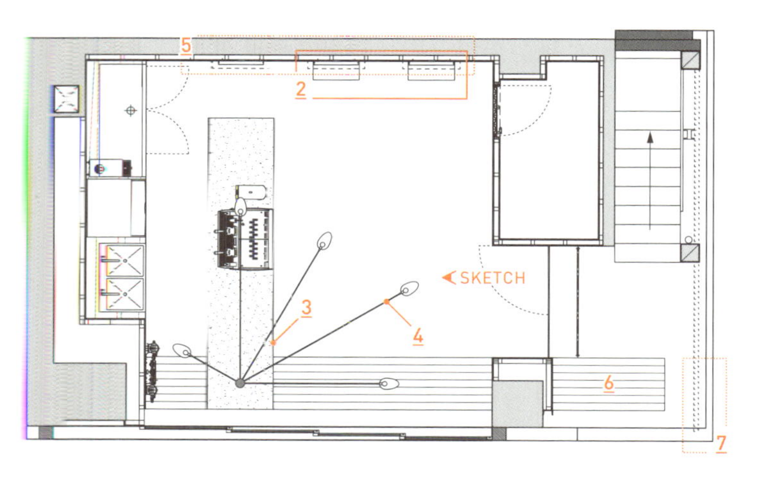

Sanjo-dori St.

1

Tominokoji-dori St.

以前ここに美容室があったことを伝えるために新しくデザインされたミラー、スツール、照明のセット。

ベンチに積み重なるようなカウンター。下部がミラー張りなので浮かんだように見える。

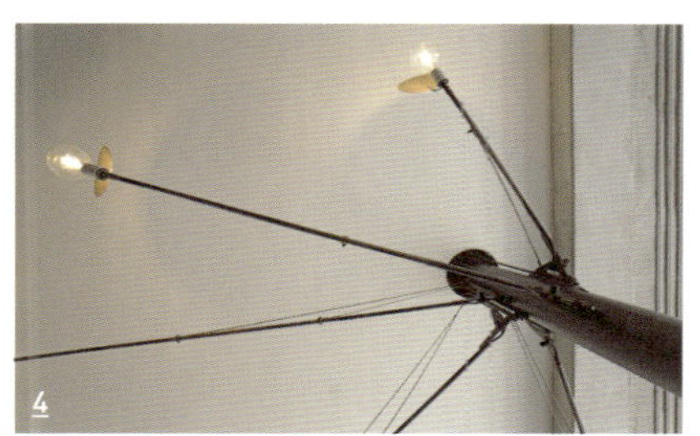

カウンターから伸びる柱から枝のように持ち出された象徴的なブラケット照明。

曲面の白壁に当てられた間接照明の光が空間に柔らかさをつくり出す。

建物を突き抜けてエントランス横まで伸びるベンチが客を招き入れる。

美容室だった記憶をとどめるために新設したサインポールはコーヒー＆ミルクのカフェラテ色。

このカフェがエリアの中心になることを願い「三富センター」と名付けたと聞く。それは単に開放的で賑やかなカフェではなく、木陰でそっと休憩するような場を目指したのではないか。スチールの照明器具がまるで木のようだ。通りに面するベンチに客だけでなく通行人も腰を下ろしたり、自転車に乗ったままの常連客が横付けしテイクアウトしたりする光景を見ると、センターという名にふさわしいカフェが生まれていると感じる。

24 4本脚のカウンター

Bonanza Coffee Heroes（ドイツ・ベルリン）
— Bonanza and Onno Donkers

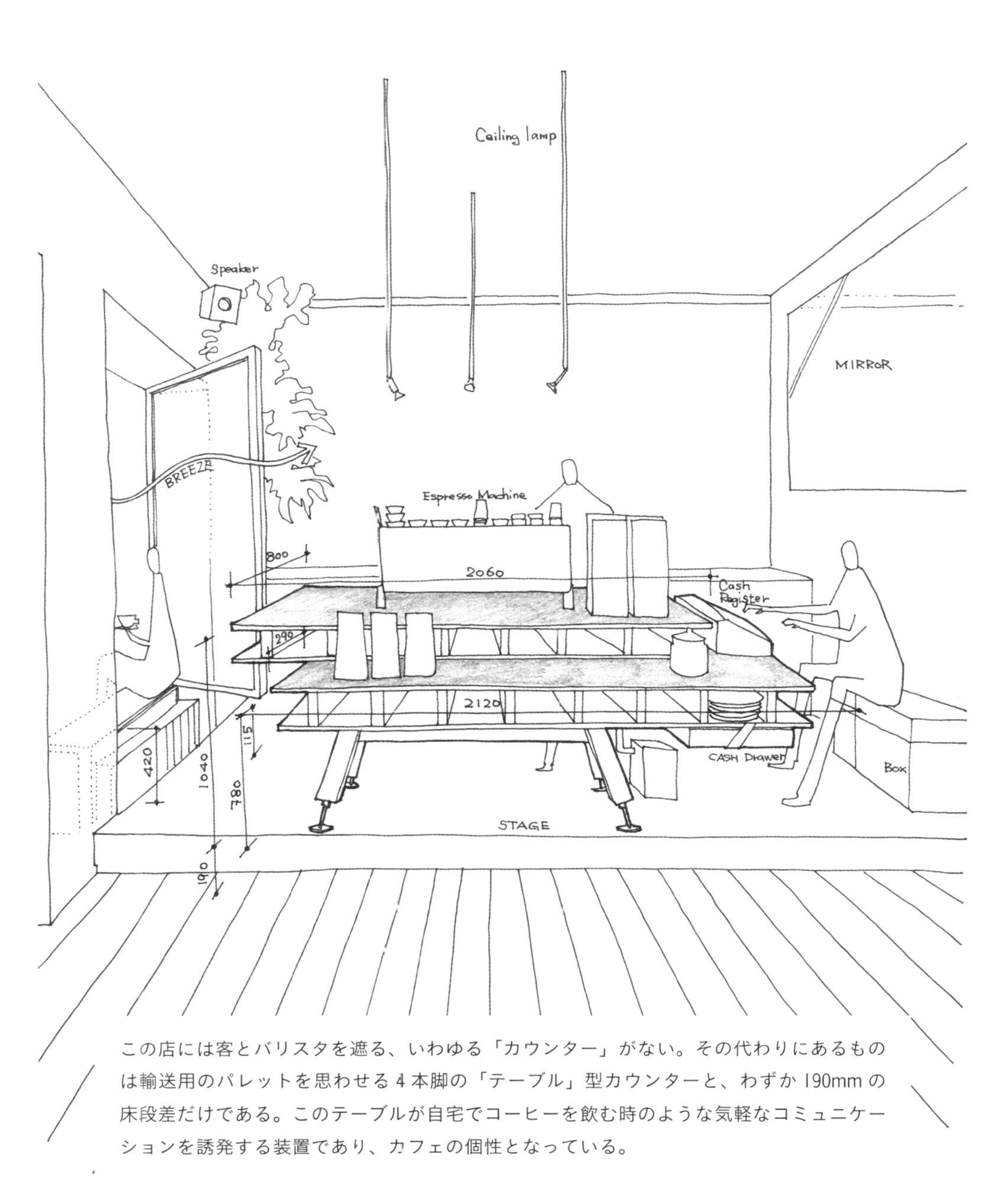

この店には客とバリスタを遮る、いわゆる「カウンター」がない。その代わりにあるものは輸送用のパレットを思わせる4本脚の「テーブル」型カウンターと、わずか190mmの床段差だけである。このテーブルが自宅でコーヒーを飲む時のような気軽なコミュニケーションを誘発する装置であり、カフェの個性となっている。

ベルリン・オーダーベルガー通りの幅広い歩道に面したロケーション。街路樹を囲むようにベンチ、テーブルが[illegible]で配置されている。外壁は既存建物の色を尊重し、エントランス上部に筆記体のネオンサインのみが設置されている。あるものを生かし共存していくというベルリンらしい印象を受ける。

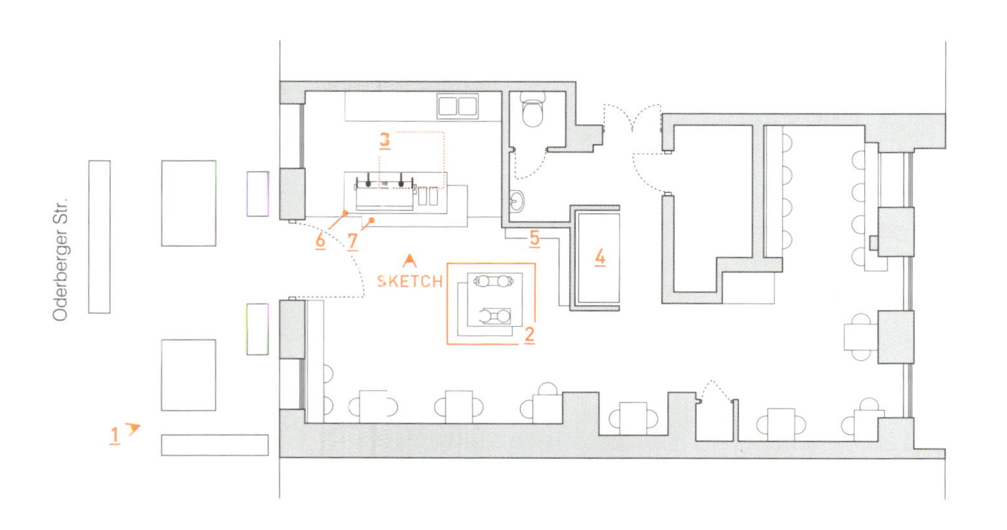

メインテーブルと同じ4本脚のハンドドリップテーブル。客はぐるりと周回できる。

華奢な3本のスポットライトがバリスタを静かにライトアップしている。

見せる収納。配管を隠さずデザインの一部として表現している。

入隅のコンクリート板とクリアガラスによるミニマルなディスプレイボード。

積層合板（構造）にステンレス（仕上げ）を張り合わせたテーブルトップのディテール。

500kg以上を支える脚。月面着陸船を思わせる華奢なディテールに目を奪われる。

設計者のカフェを再構築しようとする姿勢が、一つひとつのディテールから読み取れる。ベルリンという街の地域性でもある「既存へのリスペクト」と「既成概念を疑う」という哲学をピュアな設計手法で解決していることに共感を覚える。特にボーダーレスな4本脚のテーブル型カウンターは秀逸だ。このカフェが生まれたのが13年前（2019年時点）とのことで、その先見の明に驚かされる。

25 白い空間に、1本の「道」

ACOFFEE（オーストラリア・メルボルン）
— Frankie Tan, Joshua Crasti, Nick Chen, Byoung-Woo Kang

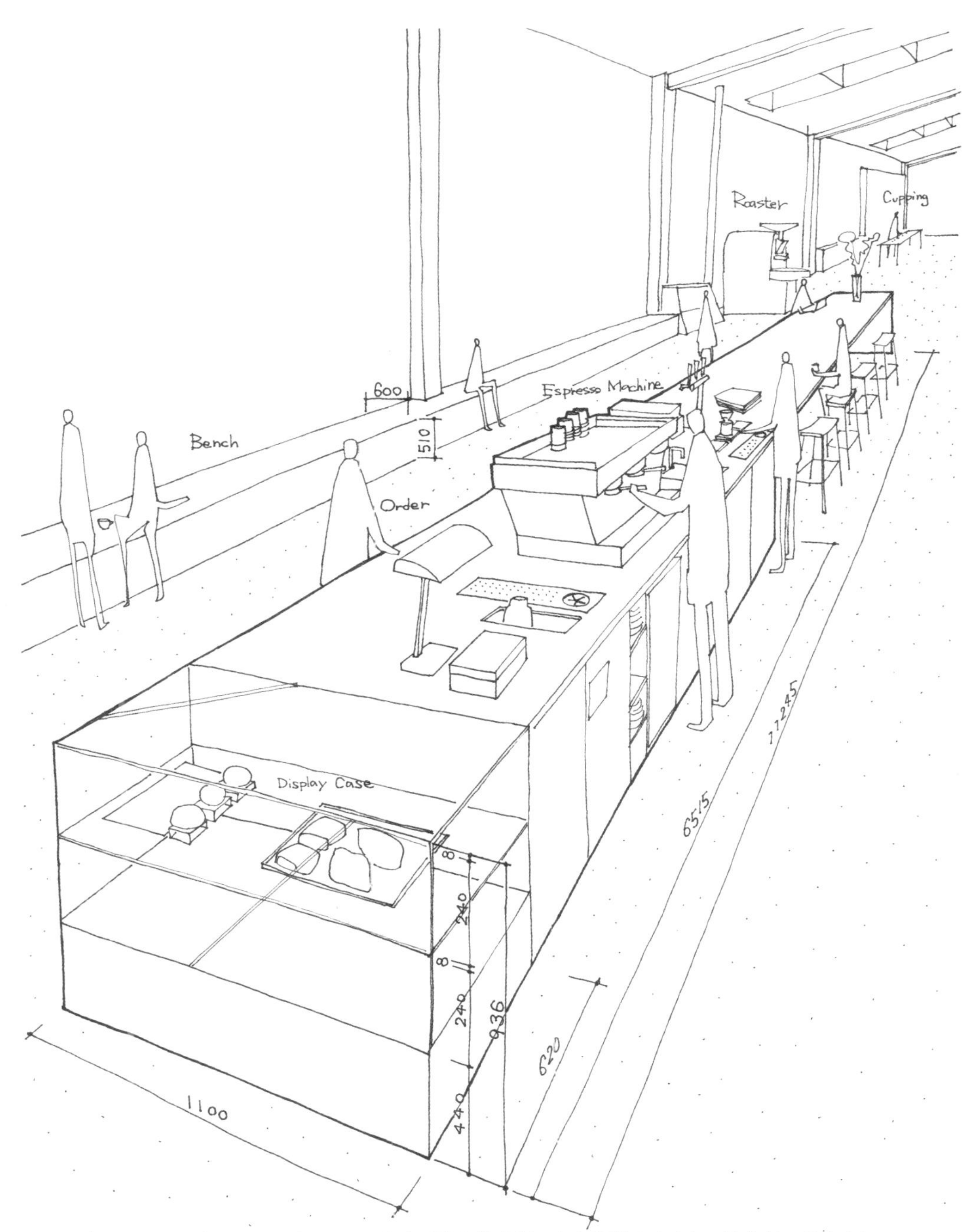

ストライプ状のトップライトから光が降り注ぐ真っ白な空間の中央に、長さ11mのカウンターが配置されている。入口からディスプレイケース、オーダースペース、コーヒー抽出スペース、客席とカフェ機能が一つに集約されたこのカウンターが、コーヒーを淹れ、味わうというシンプルな行為と向き合うための絶妙な距離感を生み出している。

メルボルン　コリングウッドにある元倉庫を使用したカフェ。市街地から少し離れた、倉庫などレンガ造の古い建物が多く残るエリアで、ブルーグレーの壁に黒いサッシで仕上げられた落ち着いた色合いの外観は、真っ白な店内との対比として用意されたものであろう。

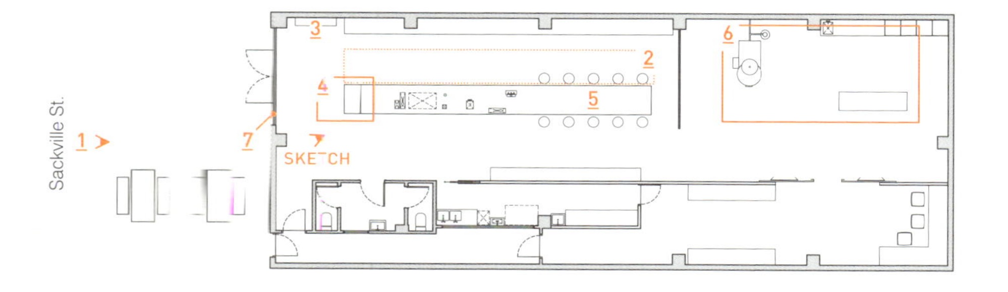

等間隔に並ぶトップライトと直交するように吊られた黒い配線ダクトレール。

厚さ40mmの合板に12mmの人工大理石を重ねたディスプレイ板。仕込まれた間接照明が商品を照らす。

入口側のカウンターの端部。シナ積層合板と低鉄フロートガラスで構成されたディスプレイケース。

カウンターの一番奥の客席。店全体がシナ積層合板の淡い木の色と白に統一されている。

店内奥の焙煎エリアも仕切りがないので、客席からカッピング作業を見ることができる。

ファサードのガラスに取り付けられた、浮遊感のある白いアクリルによる切り文字のサイン。

オーナーが信じる最高の豆を最高の焙煎で提供したい……一瞬一瞬、1日1日、日々理想のコーヒーを追い続けるためにこの店はあるという。この思いをそのまま形にしたように、白い空間に1本のカウンター（道）が敷かれた空間となっている。この淡い色の空間ではコーヒーの茶色が際立つ。「コーヒー道」というものがあるとするならば、この店こそ、その真髄に達していると言えるかもしれない。

26 バリスタとの距離を近づける極浅の2段カウンター

Patricia Coffee Brewers（オーストラリア・メルボルン）
— Foolscap Studio

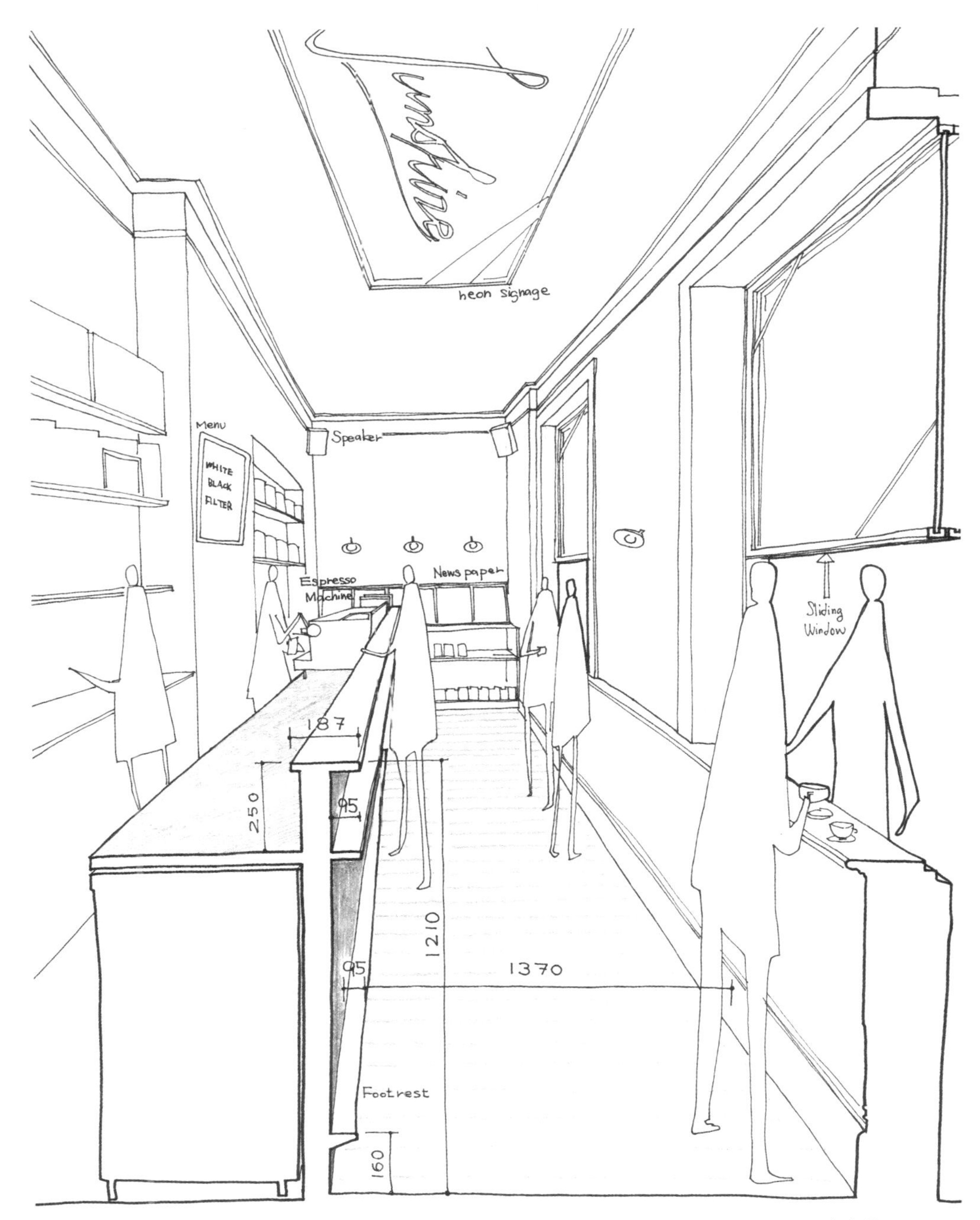

コンパクトな空間に多くのバリスタが所狭しと働くスタンディングカフェがある。白を基調とした店の入口で注文し、大理石のカウンター沿いに奥まで進む。スタンディング用に高めにセッティングされた２段構成のバリスタカウンターは上段がサーブ用、下段が客用に設計されており、この浅いカウンターがバリスタと客の距離を近づけている。

メルボルン・ウィリアムストリートの路地裏の角地にある。グレーに塗られた外壁に開いた三つの縦長い摺り上げ式窓から人の気配がうかがえるのだが、一見、サインも入口も見当たらない。カフェに入るには写真左手にある小さな黒い扉を見つけなければならない。

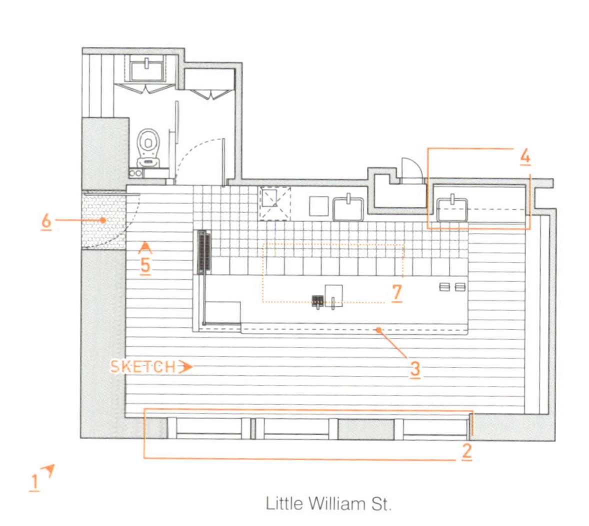

2 テーブル席がない店内では、窓際がミニマムなスタンディングテーブルとして使われる。

3 木材を細く裂き張ったカウンターには、とても小さなフットレストがついている。

4 白いタイルとコーヒーポッドが並ぶカウンターバックは白で統一されている。

5 黒いエントランスドアに設けられたサイン。対照的な隣の白いドアはトイレへのアプローチ。

6 エントランスの床には「スタンディング席のみ」の注意書きが六角タイルで表現されている。

7 天井からアクリルとネオンサインの照明が吊られている。しかし店名ではない。

混雑時は狭い店内に人が溢れかえり、まるでパブやバーのような熱気と賑わいを見せるカフェ。壁に向かいコーヒー豆を挽くバリスタ。カウンターでコーヒーを抽出するバリスタ。そのバリスタと会話を楽しみながらコーヒーを飲む客。そして窓際で外を眺めながらコーヒーを飲む客。4列の人の層が織りなす店内。その様子をサインのないシンプルなグレーのファサードがより印象的に見せてくれる。

27 モルタルのひな壇

NO COFFEE（福岡県福岡市）
— 14sd / Fourteen stones design

小さなカフェの店内は、床と同じモルタルで塗り込められた大小の塊で構成されている。最も高いバリスタカウンターからすべてひと続きのモルタルのひな壇は、ベンチにも、棚にもなる。この均一な空間においては、コーヒーを淹れるバリスタ、客、グリーンや本などのプロダクトまでもが均等に扱われ、独特な一体感をつくり出している。

1

福岡・平尾の住宅地、交差点に建つマンションの1階をリノベーションしたカフェ。目立つような大きなサインはないものの、元々あったマンション内からの入口を廃し、外壁に新しくエントランスドアを設けた。現在は使われていないガスメーターや室外機は建築が持つファサードの記憶として残している

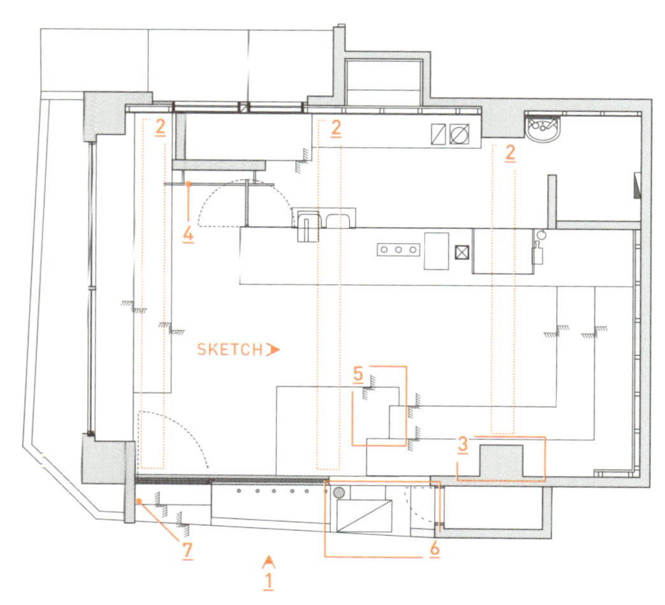

照明は天井下地の LGS を利用した直管形 LED ランプ。

モルタルのカウンター、白く塗装した壁、躯体を剥き出した柱のコントラスト。

壁から突き出した、真鍮メッキのハンガーバー。モルタルなど乾いた素材に艶を与える。

高さ違いのモルタルのベンチが空間にリズムを生み出す。

室外機、ガスメーター等、移設か隠しがちなものをあえてファサードに残している。

真鍮を象嵌したコーヒーカップを模したロゴマーク。店名のイニシャル n と c に分解可能。

コーヒー、人、プロダクトが交わる空間。モルタルでできたひな壇の上には、グリーンや本、アート作品が点在しており、客がその間に座ることで、人とプロダクトがとても近い距離で空間に共存する。本来不要なガスメーターをファサードに残していることなども含めて考えると、オーナーとデザイナーは、ここにあるものすべてをアート作品として見せるギャラリーをつくり出したのではないだろうか。

28 どこからでもアプローチできる細長いカウンター

COFFEE SUPREME TOKYO（東京都渋谷区）
— SMILIES

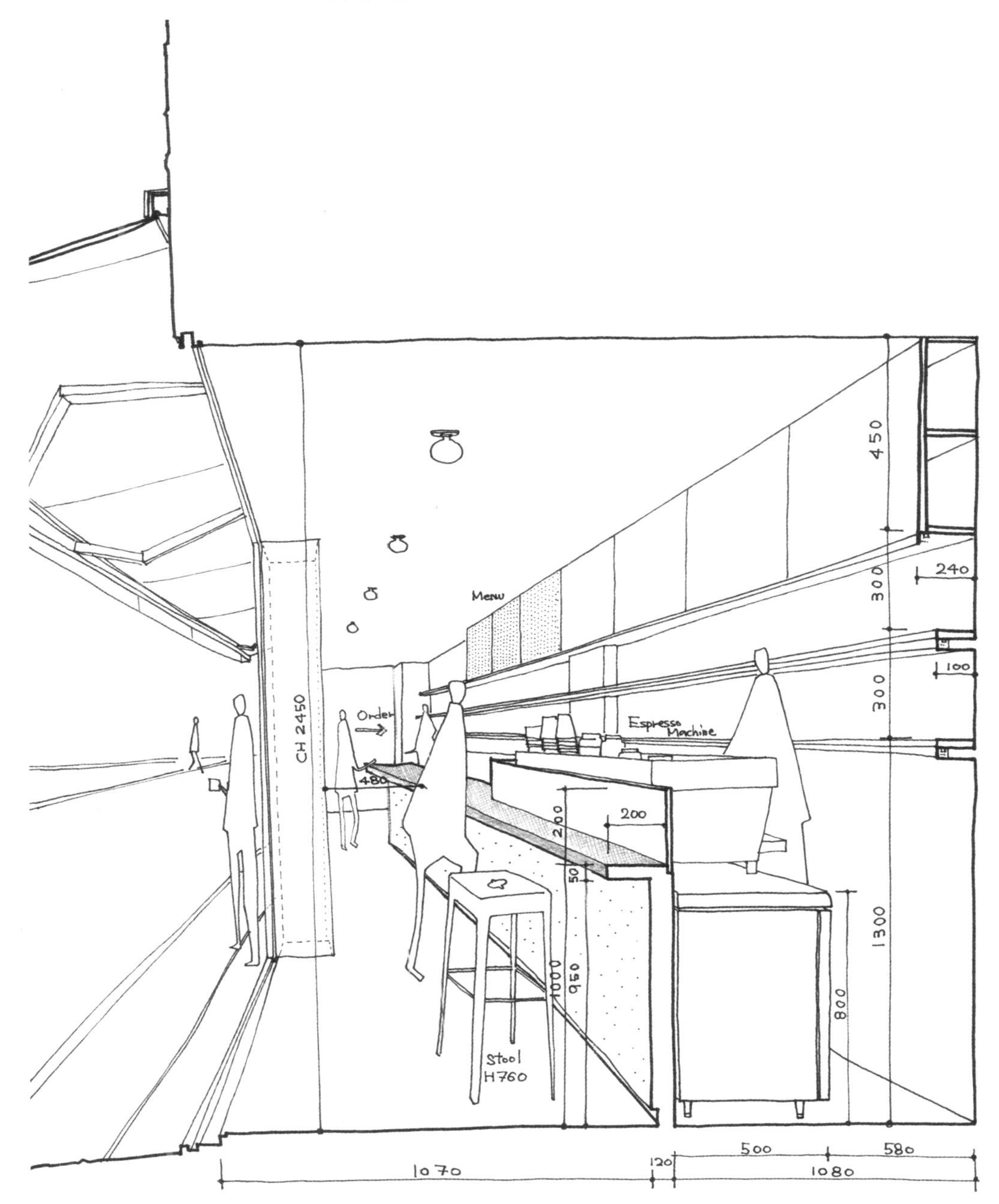

前面道路に沿った細長い敷地形状を生かし、両手を広げると届きそうなわずか 2m あまりの奥行きの空間の中央を横切るようにカウンターが設置されている。その中心はエスプレッソマシンを半分埋め込んだ白木のバリスタカウンターになっている。ファサードのフォールディングドアを開放すれば、通りのどこからでもこのカウンターにアプローチが可能。客とバリスタの出会いを極限まで高めている構成である。

渋谷区神山町、通称「奥渋」にあるニュージーランド発祥のカフェ。三つの通りに挟まれた細長い敷地に建つ、屋上付き3階建ての狭小ビルをリノベーションしている。前面道路に沿って細長く伸びたカウンターにバリスタの様子がよく見え、カフェであることが一目瞭然である。

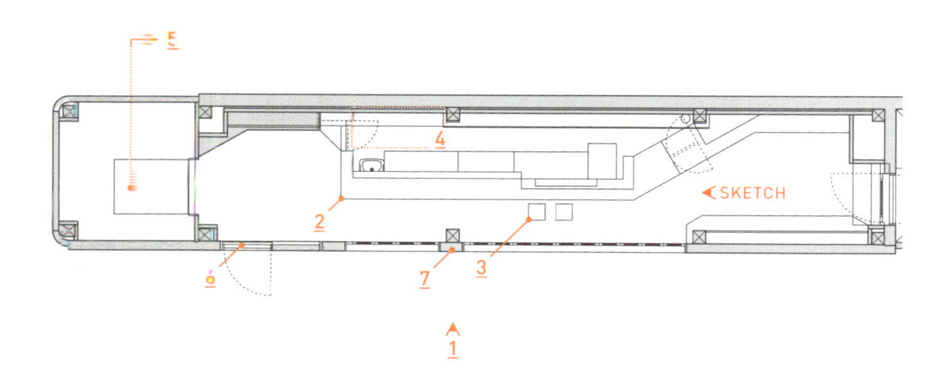

2 コンクリートの床に底目地を取った大谷石のカウンターのディテール。

3 オリジナルの白いスツールが大谷石の独特な色味に映える。

4 収納扉に穴を開け、文字ピースをはめ込んだメニュー。ブランド共通のデザインである。

5 エレベーターで屋上に上がるとテラス席があり、小さな賑わいのある街を一望できる。

6 ブランドカラーの赤に塗られた扉は、既存扉を利用したもう一つのサインである。

7 ロゴマークをかたどったオーナメントはサッシの色と合わせた白に統一。

客とバリスタの出会いを増やしたい。このカフェの大きな設計コンセプトだと推察する。既存建物が持つ特徴的な奥行きと幅を生かし、通りのどこからでもアクセスを可能にしたフォールディングドア、一歩踏み込めばバリスタが出迎えてくれる細長いカウンターがデザインされた。1階と屋上に客席を持つ滞在型カフェではあるが、通りにオープンなこともあってかテイクアウト客も多い。

29 「狭小建築」の「極小カウンター」

ABOUT LIFE COFFEE BREWERS（東京都渋谷区）
─ 鈴木一史

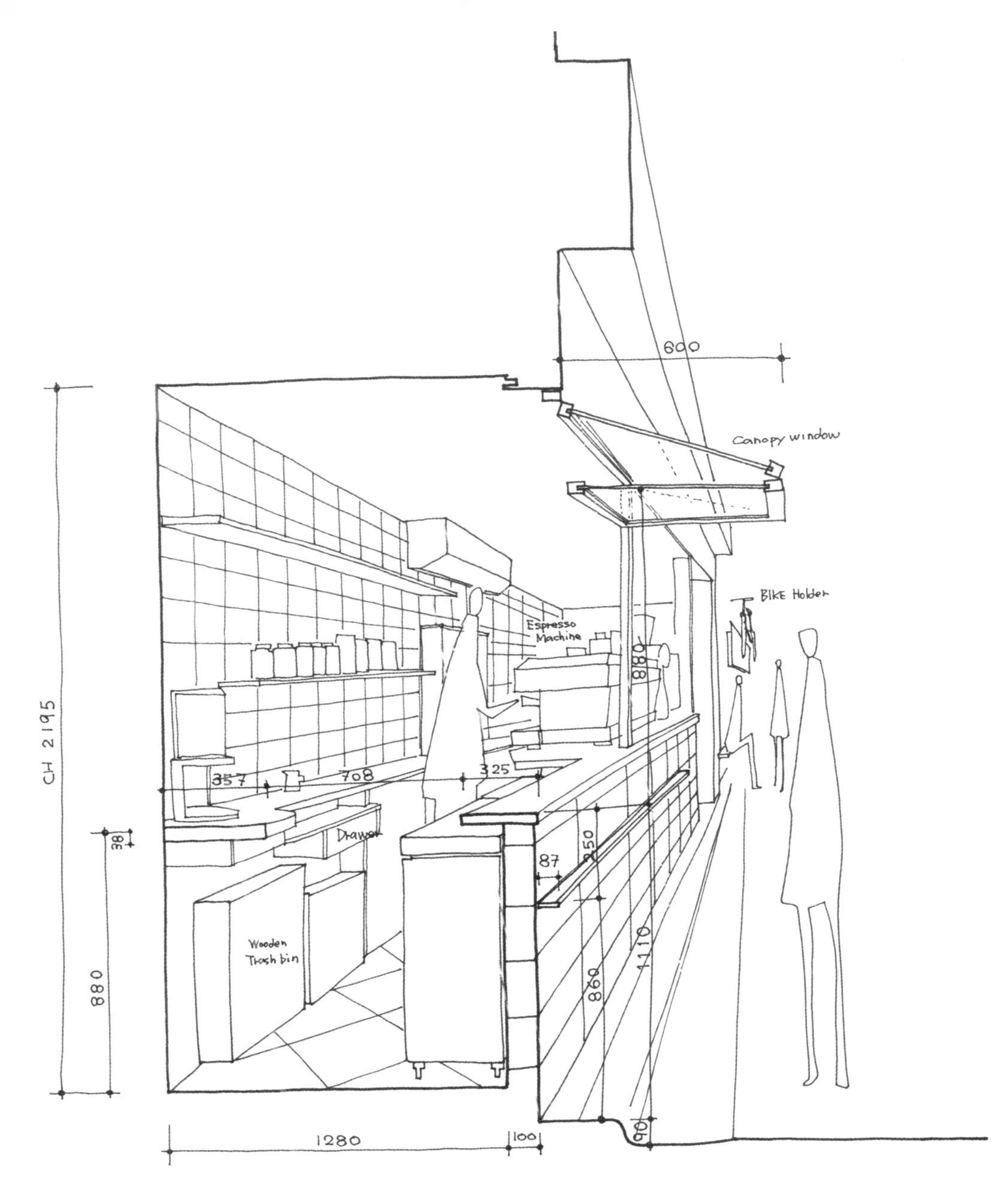

間口が 1.5m しかない狭小カフェ。限られた店内だが、カウンターを極小にすることで、店の約半分をスタンディングの客席としている。庇にもなる特注の跳ね上げ式ガラス窓やメニューサイン、外壁のベンチ等の細かなしつらえが店のサイズとマッチし、客とバリスタのコミュニケーションを誘発して賑やかな店の顔をつくっている。

渋谷区道玄坂沿いの角地に建つ小さなビルの1階にある。隣接するコンビニのサインに高さを合わせた白いボーダーが、店の小ささをより強調する。道玄坂と直交する通り側のビルの外壁には自転車用のラックとベンチが取り付けられ、狭いながらも工夫を凝らし、建物全体を使いこなしている。

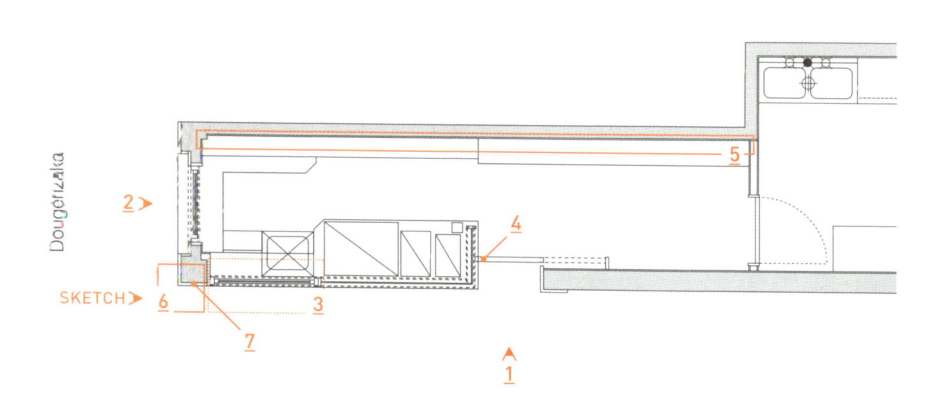

2 道玄坂側の開口はバリスタの作業スペースとほぼ同じ幅。

3 バリスタカウンターの窓は跳ね上げ式を採用し、営業中は透明な庇としても機能している。

4 エントランスドア把手が天板をくわえ込んだユニークなディテール。

5 壁面、天板はキッチンからスタンディング席まで同素材なので、視覚的な狭さが軽減される。

6 建築の外壁を包んだ亜鉛メッキの鉄板とカウンターのコンクリートブロック。

7 亜鉛メッキの黒い柱に白字のメニュー。BLACK、WHITE というメニューに合わせたのか。

通りからの余裕もなく、極端に間口の狭い特殊な場所で、空間が小さいならば、もっと小さく細かな機能からカフェを捉えて設計しようという姿勢がうかがえる。人通りの多い道玄坂に面した間口の狭い窓はオーダーのみとし、長手方向のエントランス面にベンチを設けることで、客が流れ、とどまれるように細やかに考えられたファサードになっている。

30 タバコ屋に倣う、日常風景の再構築

MAMEBACO（京都府京都市）
—メイククリエイション

交差点に建つ1坪の狭小キオスク。かつて街の景色には必ず存在していた昔ながらのタバコ屋にインスパイヤされた店は、どこか懐かしい。限られたスペースゆえに、バリスタカウンターはショーケースを兼ねている。通りに向けてドリップするバリスタと客の光景は、かつてあったようなコミュニケーションの場が現代に蘇ったようである。

京都・烏丸丸太町交差点の北西角、元チケット販売所を改装した一風変わったコーヒーキオスク。間口が2mと狭小で、交差点の隅み切り部に建つ。同ビルにはATMコーナー、大手ハンバーガーチェーン店が軒を連ねている中、小さいながらも通りに存在感を出している。

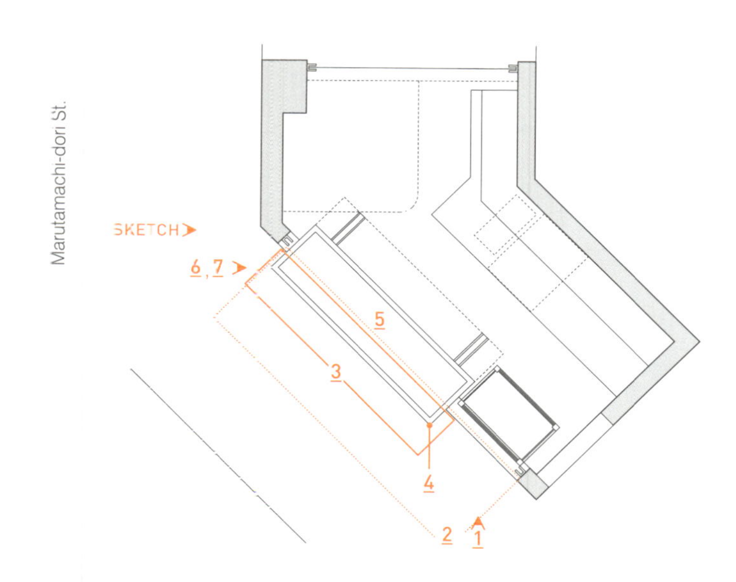

2
奥行きのあるオーニングと「COFFEE」の文字が昔のタバコ屋を彷彿とさせる。

3
カウンターの下はタバコのパッケージを模した産地別のコーヒー豆が並ぶショーケース。

4
デッドストックのモザイクタイルと真鍮古美仕上げのフレームが懐かしさを演出する。

5
通りに向かってハンドドリップする姿から、客との会話を大事にする意志がうかがえる。

6
仕込みレールによりカウンターはシャッター内側に格納できるようにつくられている。

7
閉店時はシャッターとオーニングを閉め COFFEE の文字だけが残る。

懐かしいタバコ屋の姿をまとったコーヒーキオスク……という意匠だけで終われないストーリーがある。京都でこだわりの焙煎カフェを運営するオーナーは、常日頃から取引先のコーヒー農園と豆を丁寧に客に伝えることで生産者の応援を続けている。このキオスクもその一環である。街角のコーヒースタンドでも、遠くの生産者と客をつなぐ重要なファクターになる。そんなキオスクが京都の街角に増える未来に期待したい。

31 オーナーの小宇宙に広がるもてなしの空間

CAFE Ryusenkei（神奈川県足柄下郡箱根町）
—設計事務所 ima

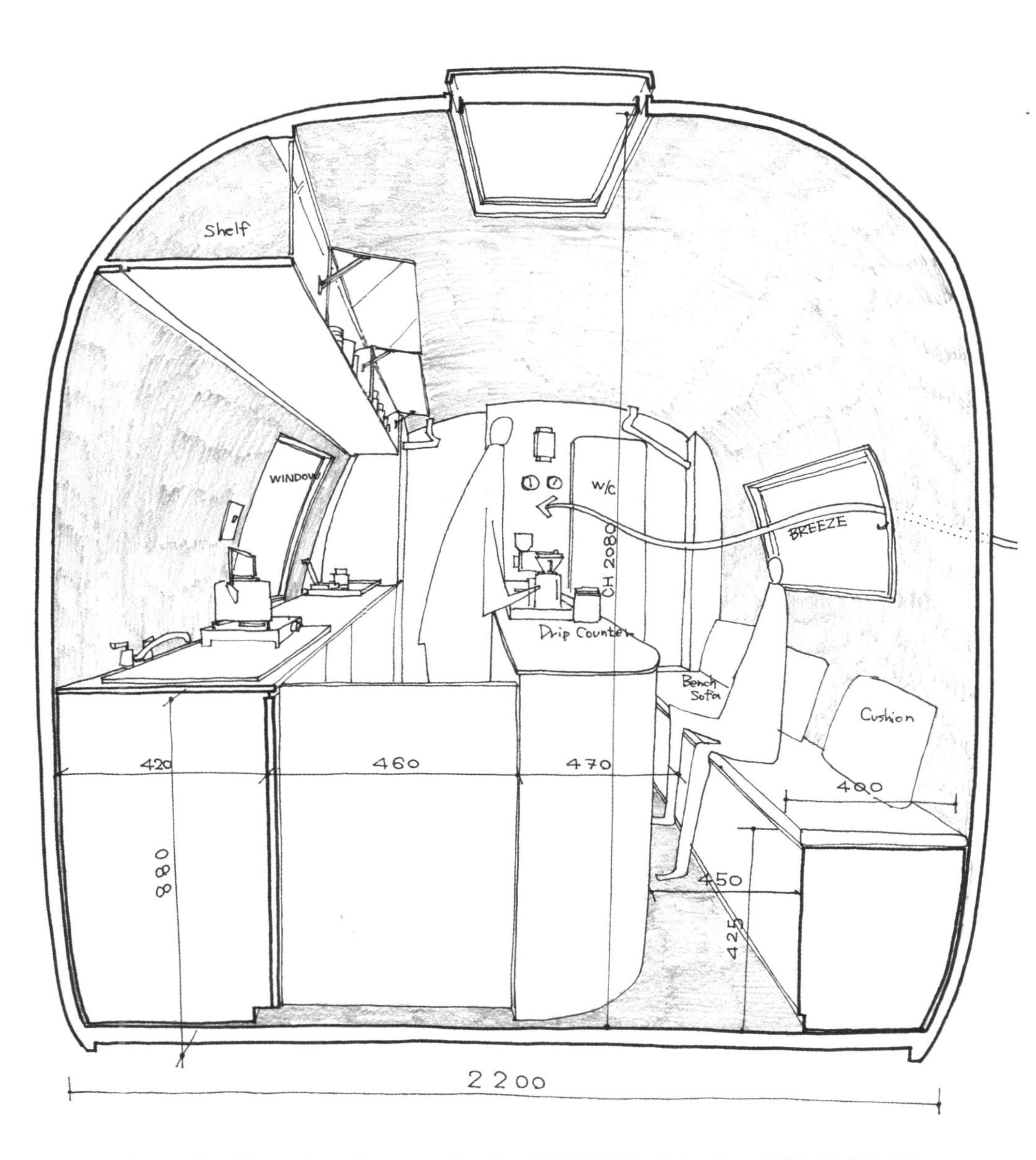

キャンピングトレーラー「エアストリーム」を電気自動車「リーフ」で牽引する移動型カフェ。店のディテールすべてにオーナーの趣向がにじむ、もてなしの空間が生まれている。車体の曲線をうまく生かし、カーブしたカウンターとＬ字ソファが、約 4.2 × 2.2m の狭い内部空間で、バリスタと客だけでなく、客同士の距離も近づけている。

2018年末まで箱根ロープウェイ早雲山駅の駐車場にあったカフェは現在、箱根登山鉄道強羅駅近郊の緑に囲まれたレストランの駐車場に移動し営業している。銀色の曲面ボディには季節ごとに変化を見せる美しい景色が映し出される。

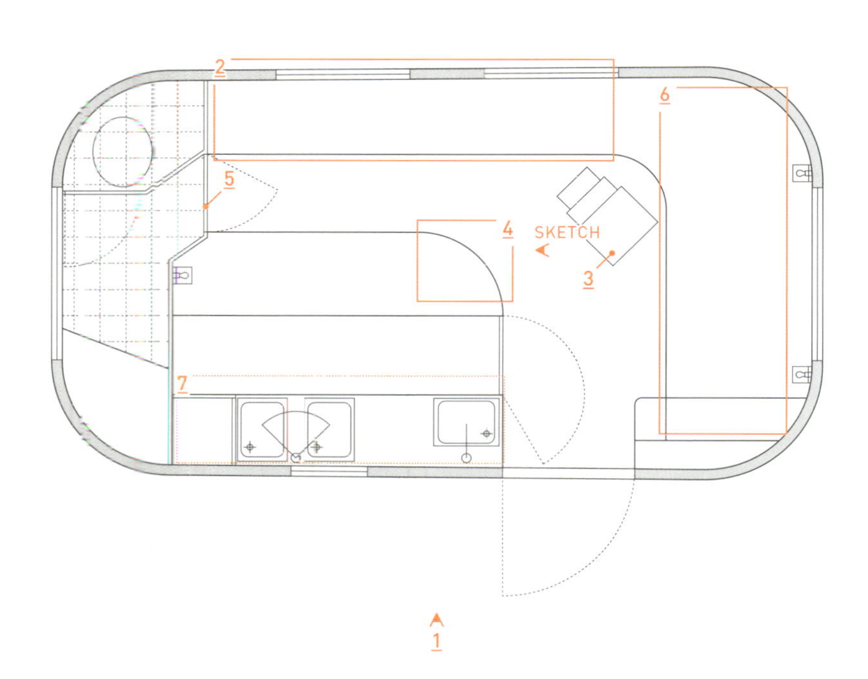

暖かみのある北欧のテキスタイルが、外の景色との鮮やかなコントラストをつくり出している。

狭い車内でも落ち着いてコーヒーを楽しむためにネストテーブルを採用。

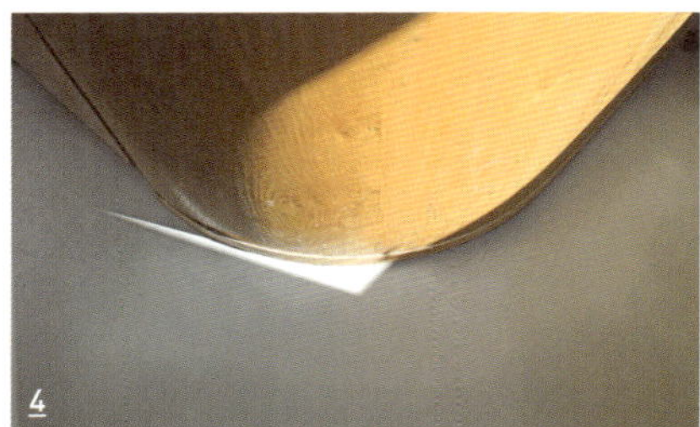

車体に合わせて丸みを帯びたカウンターのディテール。

トイレの建具にはさわやかなブルーのメラミン材を使用している。

エアストリーム後部の曲線を生かしたソファと上部収納。

カウンターバック上部を生かした吊り収納。扉はアクリル製。

「移動する現代の茶室」をコンセプトに、茶道で大切にされる「一座建立」の通り、一杯のコーヒーのための空間がしつらえられた。客との時間に心を込めることで、主客一体となった心地良い時間が生み出されている。観光地での移動カフェだからこそ一期一会のもてなしも意識されているだろう。箱根の山々を鏡のように映し出す車に一歩踏み入れると、趣向を凝らしたオーナーの小宇宙にしばし時を忘れてしまうことだろう。

32 生業と住まいの関係

FINETIME COFFEE ROASTERS（東京都世田谷区）
成瀬・猪熊建築設計事務所

ここはカフェであるとともにオーナーの住居である。通り土間が貫く1階カフェの客席上部に密かに設けられたスリットが2階の住居部を垣間見せ、それぞれの気配を感じ合う緩やかな職住一体を実現している。過度な意匠やサインを避けたファサードからも、オーナー一家族の暮らしや住まうことを大切にする姿勢が読み取れる。

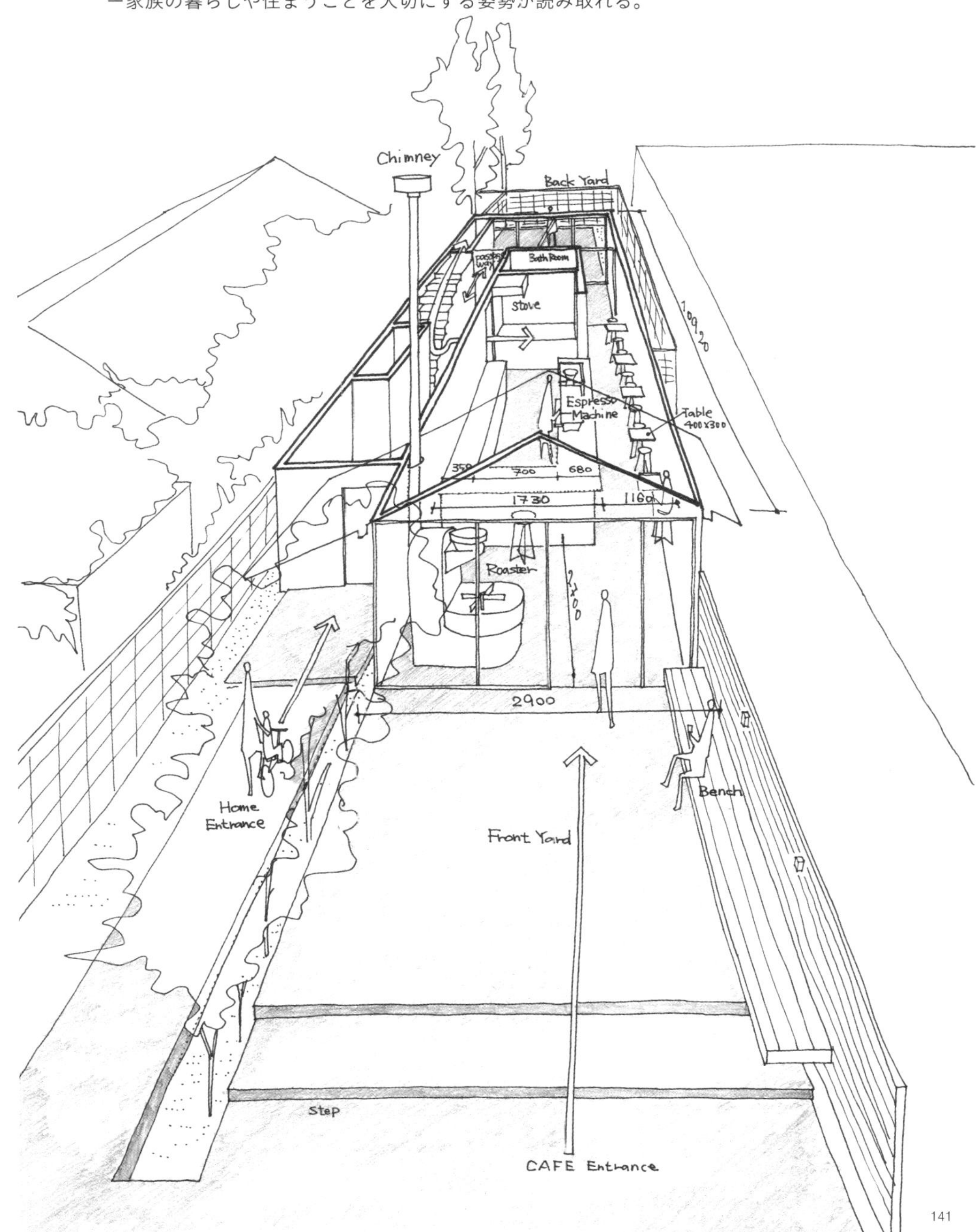

駅に近い住宅街に建つ木造住宅のリノベーション。既存を生かした住宅らしい外観に、伸びる煙突が主人（あるじ）の生業を伝えるサインにもなっている。セットバックした前面敷地はベンチだけが置かれたのびやかな導入部。周囲の緑に馴染むオリーブの樹木がカフェと住居のアプローチを分ける緩やかな境界となっている。

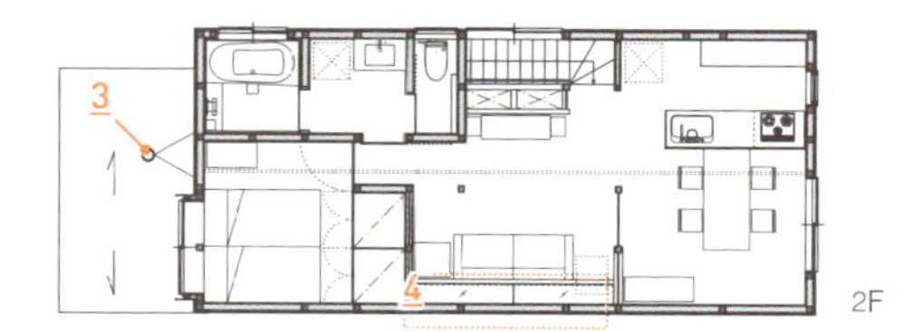

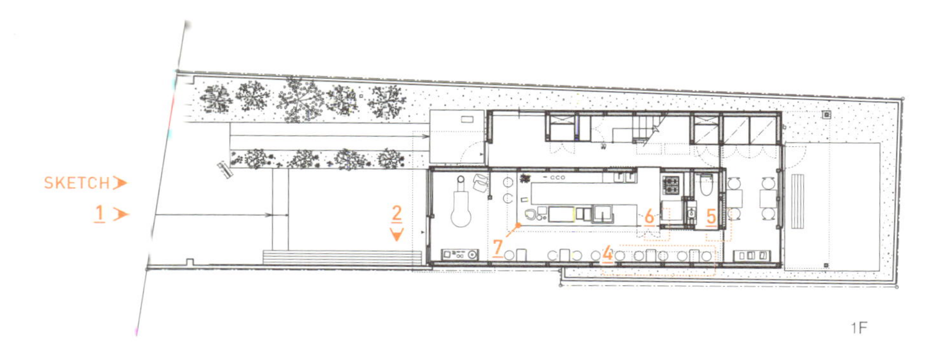

壁と同色に塗られた浮遊感のある木製ベンチ。

排煙が滞留しないよう焙煎機からそのまま真っ直ぐにつないだ煙突が、カフェのアイコンになっている。

客席から見上げるとクリアガラス越しに2階の住居エリアの気配がうかがえる。

2枚の引き戸は共にレールが見えない納まりになっている。

バリスタエリアのフレキ板の天井仕上げと内壁の納まりから、設計者の繊細さを感じる。

天板のコーナージョイントのディテール。

バリスタたちと話していると、職住一体カフェへの憧れを持つ人が多いように感じる。この店はその秀作。オーナーは自宅の一部を焙煎できるカフェにすべく、中古一戸建てを手に入れたという。1階通り土間奥の多目的室は現在客席だが、将来子供部屋としても使えるようにと考えられている。ライフスタイルの変化にも対応できるバッファースペースが残されていることも注目すべきポイントであろう。

33 カフェの顔を持つ歯科

池渕歯科 POND Sakaimachi（大阪府岸和田市）
— Teruhiro Yanagihara

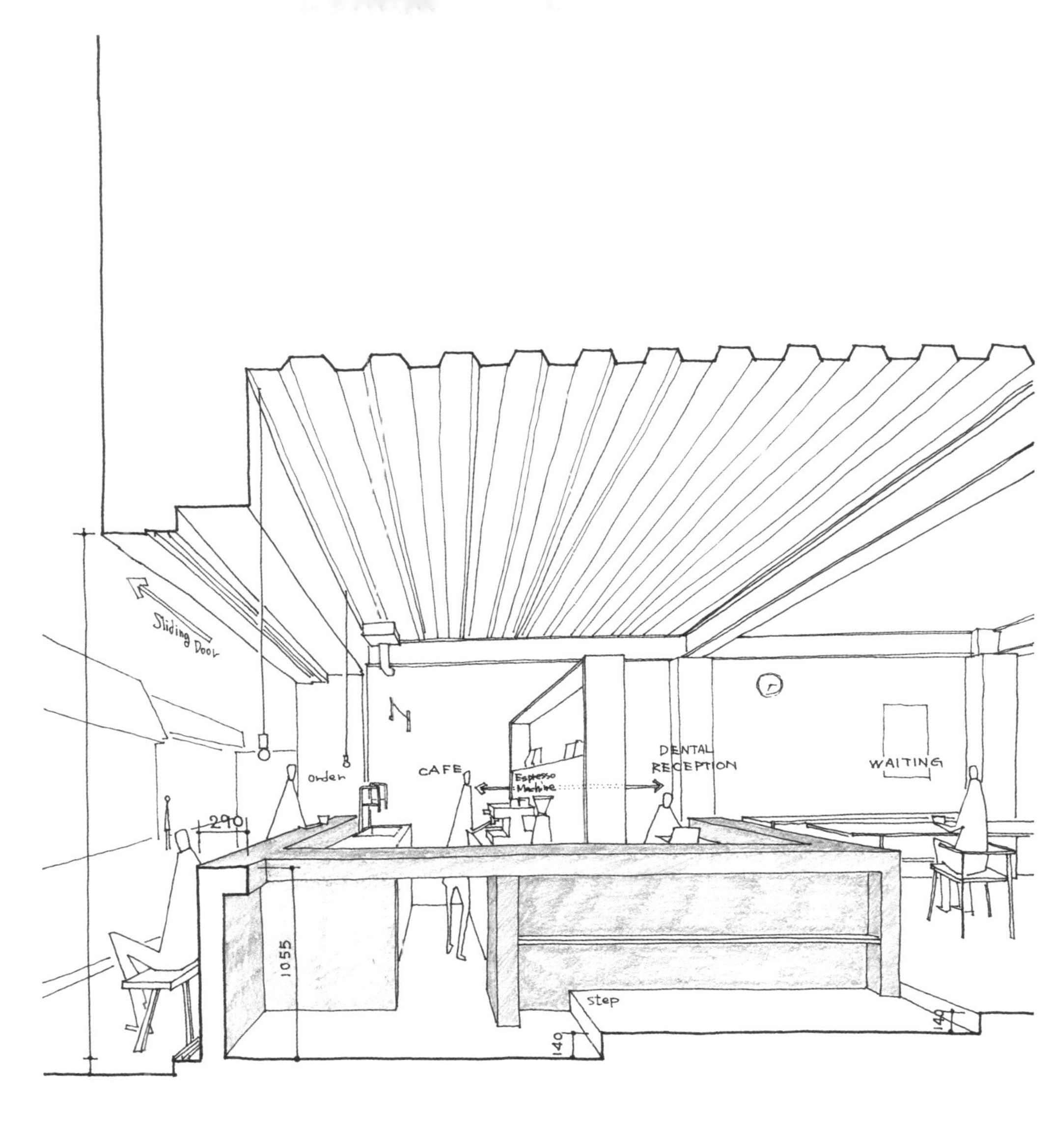

なんとカフェを兼ねた歯科医院である。通り沿いの巨大な3枚のガラス引き戸をひらくと、重厚な躯体と同じコンクリートのカウンターが手前に現れ、カフェとしての顔を見せる。カフェと医院は背中合わせに連続しており、建物の内外からオーダーできるようになっている。患者だけでなくすべての客を受け入れ、新たなコミュニティの場が生まれている。

大阪・岸和田市の住宅街にある。通りに面するカウンターやベンチがカフェであることを伝える一方で、歯科医院としてのエントランスドアは端の方で少し奥まったところにある。その上に控えめに掲げられたのが歯科医院のサイン。一見すると、歯科医院だと気付かないファサードである。

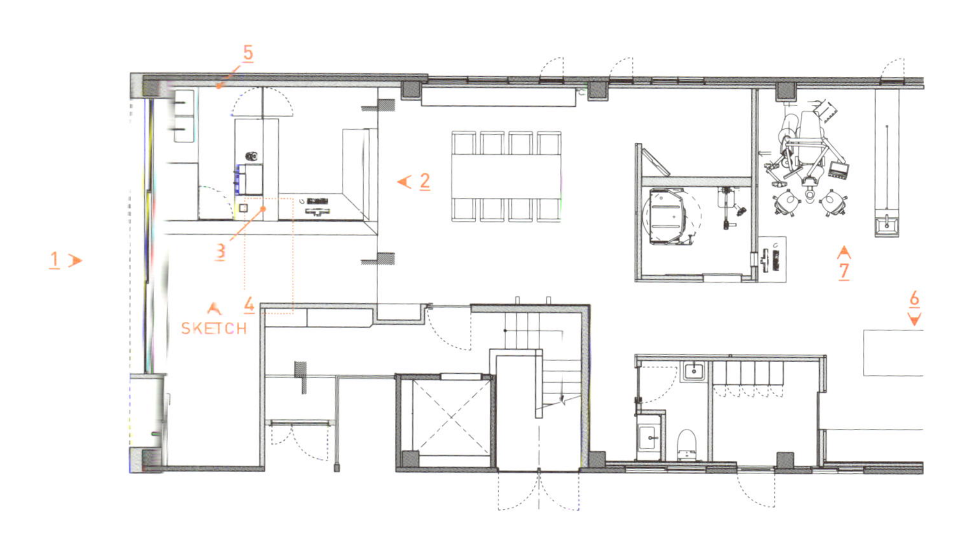

コンクリートでできた歯科医院の受付カウンターはカフェのカウンターとひと続きになっている。

カフェと受付はスチールの棚によって背中合わせに機能を分けている。

空間全体がグレーで統一され、従来の白い歯科医院のイメージとはかけ離れている。

ミニマルに彩られた壁面照明。

歯科医院の空間はグレートーンのコンクリートに木の要素を追加。

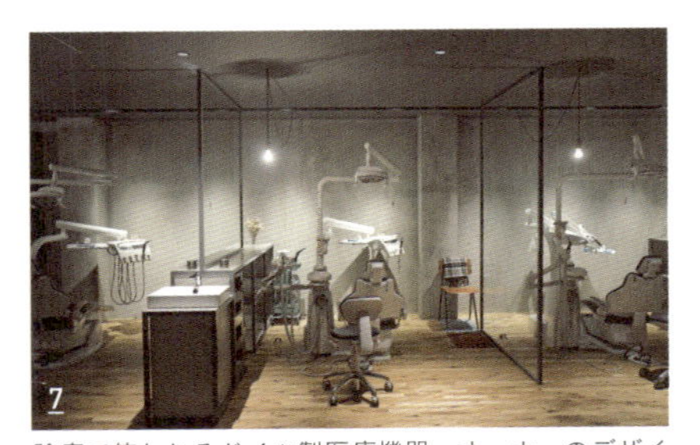

診療で使われるドイツ製医療機器。オーナーのデザイン愛がここにも見える。

代々この地で歯科医を続ける当代が考えたのは、歯科医院とおおよそ結びつかないカフェを医院の顔として取り入れるという斬新なアイディアであった。そのアイディアを実現するミニマルなデザインコンセプトにあわせて、内装設計だけでなく、家具、プロダクト、アート、歯科衛生機器までがコーディネートされた。このように、異業種の組み合わせが通りや街に賑わいを生み出すようなカフェの誕生を楽しみにしたい。

column2　誰のためのの空間か

Ｉ部では僕が設計において“ひらくこと”を心がけていることや「際(きわ)の設計」について書いたが、そこに人の存在が欠かせないということを付け加えたい。それは **I. 人がつくるファサード**で顕著に示されていたように、ただ中の様子が見えるということだけではなく、そこでの人の過ごし方や、どんな人がいるか、などが通りににじみ出ていることが、道ゆく人の興味を引きつけ、通りに新たな性格を与えるからだ。

また際の設計と同時に、その空間自体が「誰のための空間か」ということを設計初期段階から考えることにしている。「空間の主役」を決めるのである。まず空間の良さを一番に感じられる主役が誰なのかを定め、その人の体験をシェアできるようにプランを考えていくのだ。

実はこれには一つ答えを持っていて、一番長くいる人のための空間にする。カフェであればバリスタだ。彼らにとって最も居心地の良い場で、かつ彼ら自身がカフェの顔、つまり主役になれる設計をするようにしている。

もちろん、様々な客が想定されるカフェにおいて、不定要素の多い客よりは空間の使われ方をコントロールしやすいということもあるのだが、働き手が気持ち良いと感じる空間は、きっと客にとっても気持ちの良い空間なのだと信じているからでもある。

京町家を改修した日本酒・ビアバーの「BEFORE9」も、そうした設計が実践できた一つ。

京都市の中央を突き抜ける大通りと東西に伸びる大通りが交差する烏丸御池。その付近に建つ三軒並んだ京町家のうち、真ん中の一軒を改修した。長年の土地の整理によって手前だけ残されたのか、奥行きのない小さな京町家は、ビルが立ち並ぶ華やかな通りの中で時代に取り残されたかのようにポツンと残っていた。

このプロジェクトは、今は廃業してしまった日本酒の蔵元の6代目である施主が、もう一度酒の製造を始めるための第一歩として、また、消えゆく京町家の保全活動として強い思いを持って始めたもの。街の記憶が漂う場で、日本の手づくりの酒を多くの人に気軽に楽しんでもらえる店にするべく設計を始めた。

ここでは、大通りを歩く人がふと立ち止まりたくなり、つい入ってしまうような、街の延長上にあるような場づくりを目指した。京町家の外観は残しつつ、通り側の壁面を大きなガラス引き戸とし、通りから店の奥までを見渡せるようにした。また、床は既存の土間に新しくモルタルを重ねながら階段状に仕上げ、店内で過ごす人がより賑やかに見えるように意図している。

そして、熱気のこもる店内でもスタッフがのびのびと働けて、その様子が店の顔になるように、入口に近い視界のひらけた場にスタンディングのカウンターを配置している。桜の枝をカットした長さの異なる八角形のビアタップで、少しばかりの遊び心をつくり出せたと思っている。

竣工して3年が経ち、日本人だけでなく外国人観光客も訪れるような店になった。辺りが暗くなれば、店内の光と酒を楽しむ様々な人の姿が折り重なった賑やかな様子が通りににじみ出す、街の灯(ともしび)のような場になっている。

人が介在する場のつくり方が特徴的なカフェを読み解いてみると、設計者だけでなく、オーナーの強いこだわりや思いが感じられて、その世界観に浸る楽しさがあった。予備知識がなくても、こうした特別な体験ができる空間をつくっていけるよう、近い将来、自分たちでも場を運営していく必要があるな、と考えている。

BEFORE9（2016年竣工、京都市）。改修前（左）、現在（右）（写真提供：SAKAHACHI INC. KYOTO）

3部

periods

時間とのかかわり

近年、リノベーションやコンバージョンなど、既存ストックを活用した設計も主流になってきた。最新の素材や建物が持つ高い性能や使いやすさはないかもしれないが、新築では表現できないような経年変化や、その時代だからつくれた、今となっては実現が難しい空間構成など、古い建物ならではの魅力が認められてきつつある。
一方で、社会的に「どのようにつくったか？」というプロセスへの注目度が高まっている。建築もそうだが、カフェなどの飲食店においても、これまでブラックボックス化されていたプロセスを見せるための空間も増えてきている。

3部では、そうした時間を顕在化したデザインが見られる6件のカフェを、以下の二つの視点から読み解いていきたい。

1. 古い建物を生かす
リノベーションやコンバージョンで、特に既存建物を尊重することや、手を加えること自体がデザインの要素として捉えられるカフェ。既存部分の痕跡を残そうとする意図が感じられるもの。

2. プロセスのデザイン
工程や所作を強調するようなデザインが見られるカフェ。

34 大空間をまとめる6つのスキップフロア

Higher Ground Melbourne（オーストラリア・メルボルン）
— DesignOffice

元発電所で天井高 15m のレンガ造の大空間をカフェ・レストランにコンバージョンした。上部の増築部を支えるための 5 本の柱が内部を貫くが、緩やかにつながる 6 つのスキップフロアがこれを受け入れている。それぞれの居場所をつくりつつ、柔らかに照らされた大天井が全体を包み、心地良い一体感を生み出している。

メルボルン・サザンクロス駅の近くの高層ビルが並ぶビジネス街にあるカフェ・レストラン。既存建物に覆い被さるように高層ビルが増築されているため、屋根や構造全体が鉄骨で補強されている。

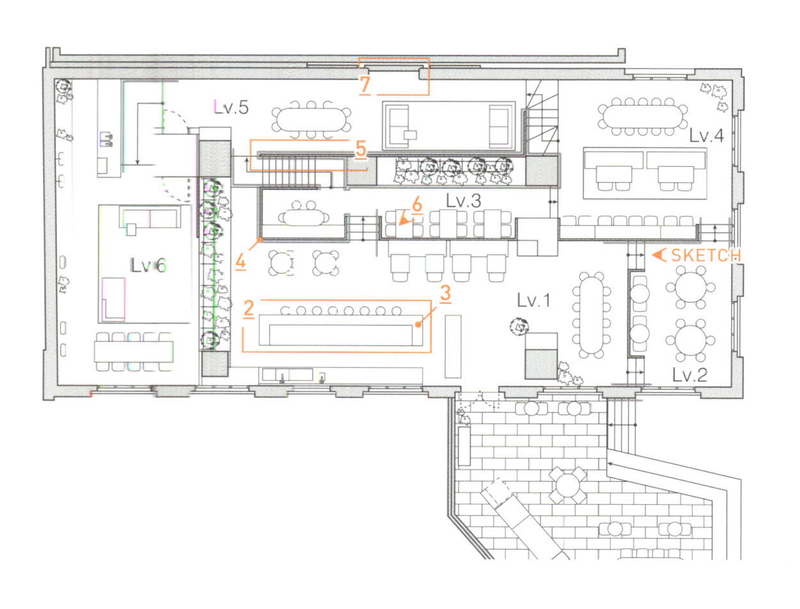

一番低いフロアにあるコーヒーカウンターは客席のどこからも眺めることができる。

角を面取りしたテラゾーと底目地を取ったスチール天板のディテール。

スチール（手前）とテラゾー（奥）の二つの素材を使い分けた腰壁。

階段から続くスチールの腰壁に寄り添う1本のステンレス手摺。

既存建築のレンガに対するアクセント素材として内装はスチールを多用している。

既存建築の窓の名残を生かしたディスプレイスペース。

大空間を生かした異なる床レベルを伴う大胆なゾーニングはもちろん、手に触れる様々な素材とディテールの共存もこのカフェの大きな持ち味である。設計者はスチールとテラゾーをメインに植物やファブリックを変えながら、フロアによって異なる居心地の良い空間をつくり出している。このバラエティに溢れるデザインは、経年変化したレンガ造の建築が持つ力に牽引されたのではないだろうか。

35 演出されたキッチン

Lune Croissanterie（オーストラリア・メルボルン）

倉庫からコンバージョンされたこのカフェの中央には、鉄骨造のクロワッサンキッチンがオブジェのように配置されている。キッチンはガラス張りなので、中で行われている作業工程が四方どこからでもうかがえる。放射状の照明が白く光るガラスケースが舞台装置となり、店内の視線を惹きつける。

メルボルン・フィッツロイにあるクロワッサンが名物のカフェ。グレーに塗装されたファサードに倉庫の名残のシャッターが見える。このシャッターから1.8mセットバックしたサイン入りのガラスのパーティションから内部をのぞくことができる。このパーティションの左右から店内にアクセスする。

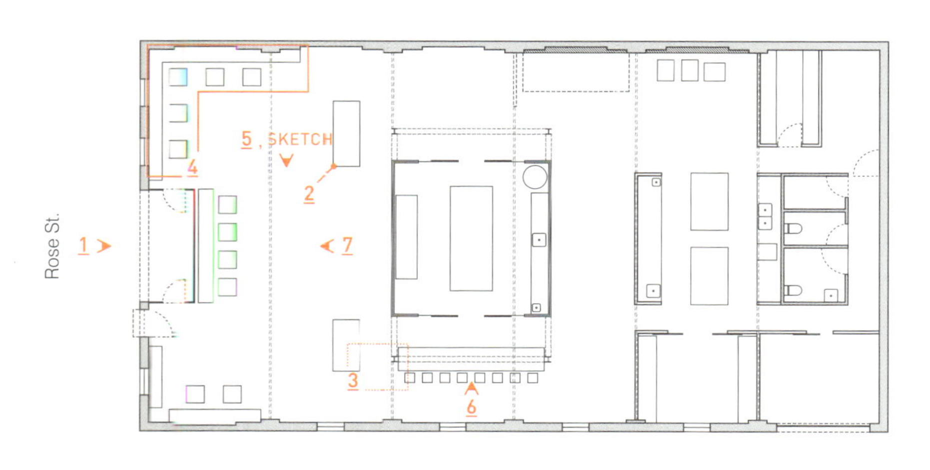

Young St.

現場で打設されたコンクリートのオーダーカウンターと商品がむき出しのディスプレイ。

キッチンの鉄骨フレームと小屋組に取り付けられた照明器具。

壁から持ち出された奥行き 420mm の L 型ベンチと高さ 460mm のモルタルのテーブル。

大空間の左手にコンクリートのバリスタカウンター、右手にエントランスのガラスパーティションを見る。

客席から中央のキッチンを望む。放射状の照明が職人たちを照らす。

店内中央よりエントランスを見る。正面に客席、ガラスのパーティションの左右に鉄のエントランスドア。

このカフェの計画にあたり、設計者はできるだけ既存躯体に手を加えない手法を選んだと考えられる。結果、シンボリックにデザインされたキッチンはまるでショーケースのような存在感を放っている。この存在感をより引き立てるために、店内の造作や家具はシンプルな素材と形状に留められ、十分なスペースを空けてシンメトリーに配置されているのであろう。

36 / 和室に配した キューブ状キオスク

OMOTESANDO KOFFEE（東京都渋谷区、現存せず）
— 14sd / Fourteen stones design

取り壊しの決まっていた民家を1年という期間限定で再生したコーヒーキオスク。スチールフレームのキューブ状のバリスタカウンターが、庭に面する畳を撤去しただけの部屋の中心にオブジェのように配置されていた。その静かに佇む様子は、現代的な茶室のようであった。

1

表参道の交差点にほど近い木造民家の庭に面した一部屋を利用。狭い門を潜り、その先の庭から、縁側を越えて土足のままキオスクにアプローチする。客席はないが、縁側や庭のベンチに腰掛け、コーヒーを飲むことができた。当初1年間だけの予定が、最終的に5年間営業し、建築の解体と共に閉店となった。

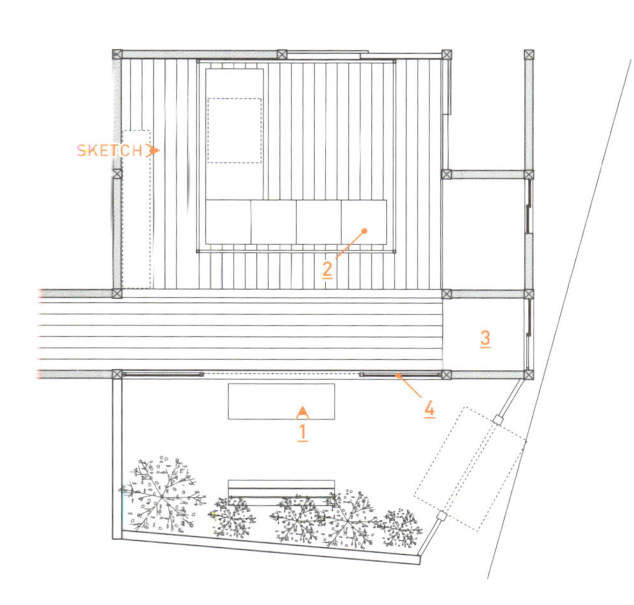

スチールアングルフレームと白木の組み合わせのカウンター。

縁側突き当たりの既存窓は、商品のディスプレイスペースとして使用されていた。

ガラス引き戸に施されたシルクスクリーンのサイン。

取り壊しが決まっている空間だからこそ生まれた大胆で記憶に残るカフェだ。「庭のある古民家を1年限定で利用する」という特殊な条件はそうないだろう。だからこそキオスクごと移動できる、このデザインが生まれた。シンプルな形状であるので、おのずとバリスタの所作に目がいく仕組みとなっている。ちなみにこの和室の鴨居の高さは6尺以下で、行くたびにこうべを垂れてアプローチする様はコーヒーの神様に挨拶をするような気分であった。

写真提供：嗜好品研究所

37 すべてを白く染める

walden woods kyoto（京都府京都市）
— 嶋村正一郎

宝形造りの木造建築をリノベーションし、新しいコミュニケーションを生み出すカフェをつくり出した。正方形プランの中央に柱がないという空間的特徴を生かし、4面の壁に張り付くようにひな壇状の客席が設けられた。新旧すべての内装が白く塗られた、何もない中央にただ1本の木が置かれた空間は、まるでメディテーションを行うかのような雰囲気が漂っている。

京都・渉成園の少し北にある公園を前にしたカフェ。大正時代の建物をリノベーションした外観は、わずかな迷彩柄を施した白塗装で仕上げられている。入口の引き戸は左右の壁に格納することができ、天気の良い日は前面道路と完全につながる。

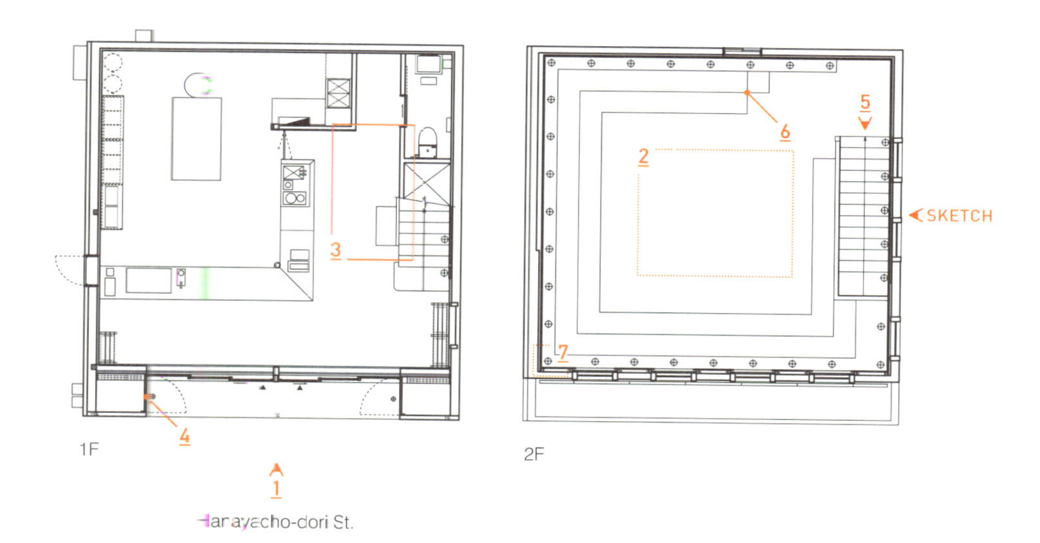

2 階は小屋組がむき出しにされ、白く塗装されている。

室内は内壁・階段・什器に至るまで、OSB 合板白潰し塗装の仕上げとなっている。

入口の引き戸は、軒下の納戸に格納される。

階段を 2 階より見下ろす。2 段おきに床に置かれたランタン照明が動線を照らす。

客席ベンチの OSB 合板を合わせたコーナーのディテール。

2 階の四隅に設置された造作スピーカーが客席にフラットな音響空間を生み出す。

オーナーは思想家ヘンリー・ソローの『ウォールデン 森の生活』に出てくるような森をつくり出すことを狙い、自ら設計した。真っ白に塗りつぶされた個性的な空間で、ひな壇に座る客たちはヒソヒソ声で会話を楽しんでいる。メディテーション空間のようでもありながら、やはりここはカフェなのだ。一人でも、仲間とでも、このそぎ落とされた白い空間を共有することで、客たちに静かな一体感が生まれるように感じた。

38 所作を美しく見せる仕上げと素材

artless craft tea & coffee / artless appointment gallery（東京都目黒区）
— Shun Kawakami & artless

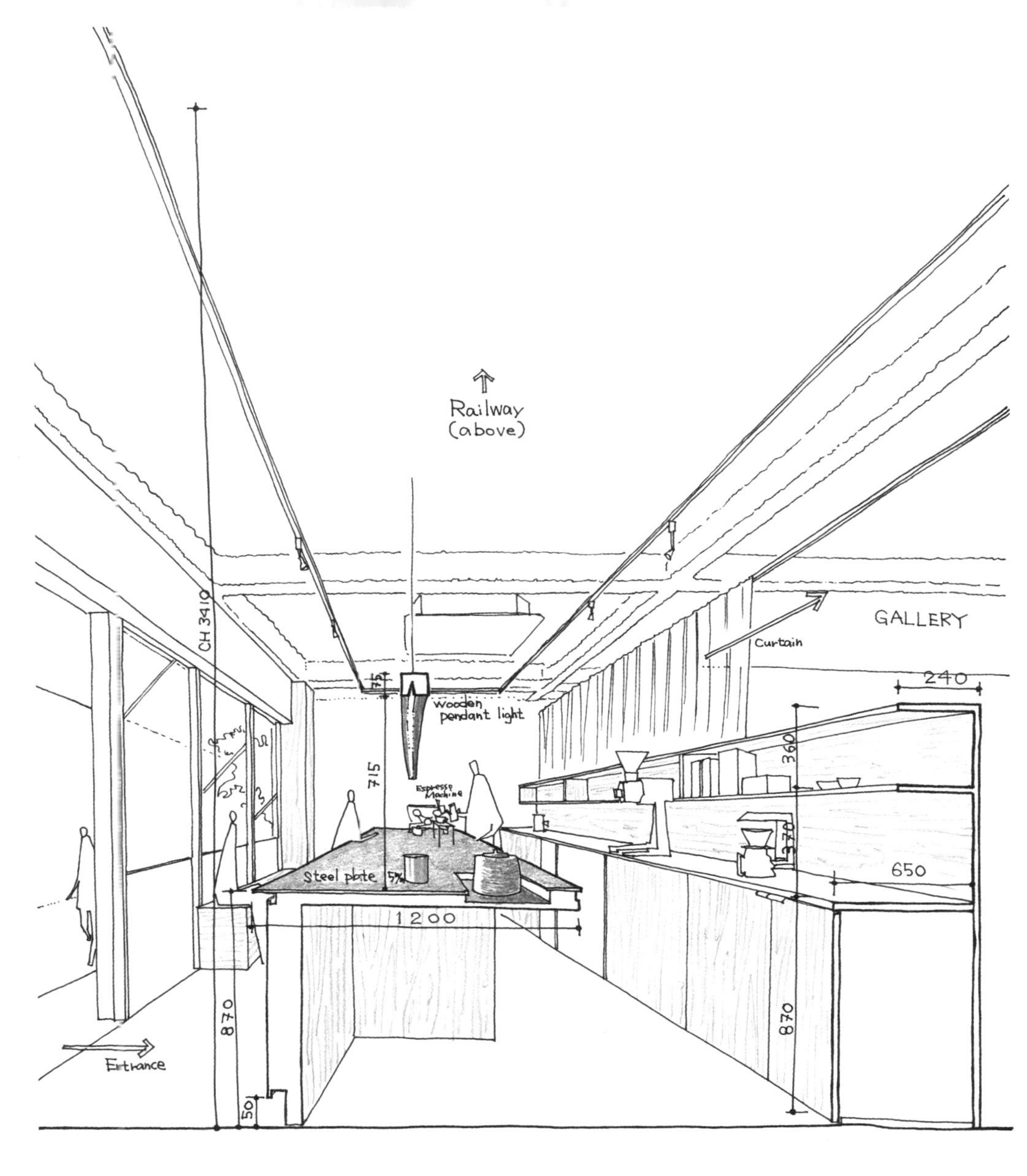

予約制ギャラリーのレセプション機能も持つカフェ。店内のほとんどが無塗装の構造用合板で仕上げられた空間で、中央にある5m×1.2mのカウンターに使われた黒皮スチール天板の黒が引き立つ。コーヒーツールも含めダークトーンで整えられた店内備品により、バリスタの所作に意識が集中するように設計されている。

中目黒駅周辺の高架下空間を約700mにわたって線状に開発した商業施設「中目黒高架下」。その祐天寺方面の最奥に位置する店だ。グレーでまとめられたファサードに、店舗サインは繊細な白色で庇より吊られており浮遊感がある。

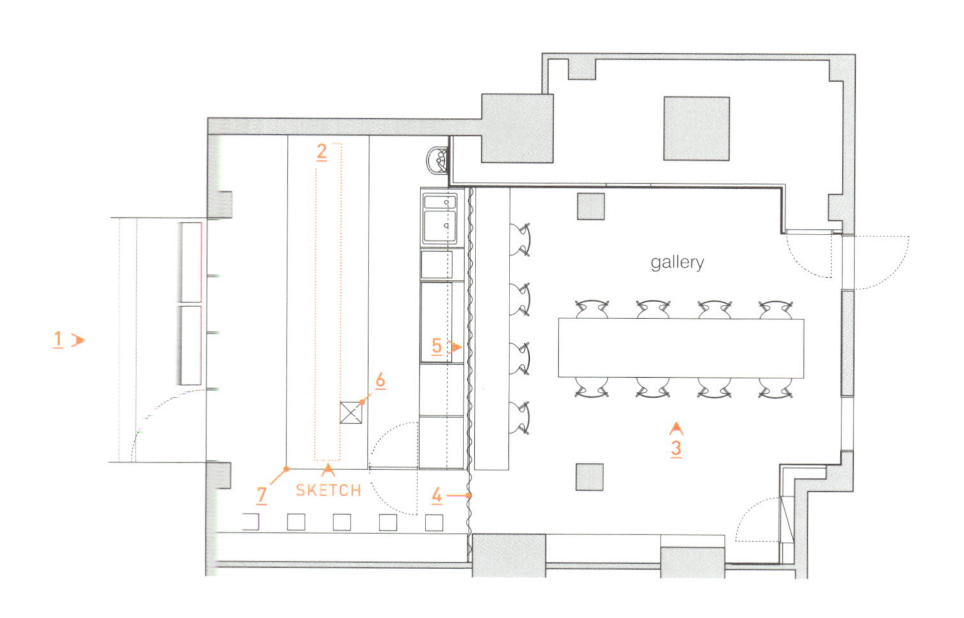

木材の背割れを利用し LED を埋め込んだペンダントライトがカウンターを照らす。

奥のギャラリーも、カフェと同様に無塗装の構造用合板で仕上げている。

カフェとギャラリースペースの間仕切りは、透け感のある黒いカーテン。

構造用合板製の棚越しにギャラリー上部が見える。

外光が映り込む 5mm 厚の黒皮スチールでできたカウンター表面に切られた炉。

カウンターの天板と土台の間に埋め込まれた間接照明が仕上げの差を際立たせている。

オーナーはアーティストとしても活動するクリエイティブエージェンシーの代表。この店のコンセプト開発からロケーションハンティング、設計、運営までを自ら行っており、カフェをアート作品と捉えていると感じる。無機質で荒涼とした高架下のイメージに呼応しながらも、空間全体に使われた構造用合板の下地材に対して、カウンターの黒皮スチール板が存在感を放つ。この下地と仕上げの対比がこの店の魅力だ。

39 体験のデザイン

Dandelion Chocolate, Factory & Cafe Kuramae（東京都台東区）
— Puddle + moyadesign

築60年の2階建て倉庫をコンバージョンした、チョコレートファクトリー＆カフェ。カカオ豆の選別から商品に至るプロセスを間近で見られるよう、1階の工場と客席は床を統一し、境界を家具で仕切る手法がとられた。2階には工場が覗ける吹き抜けガラステーブルを設け、店全体で工場にいる体験を提供している。

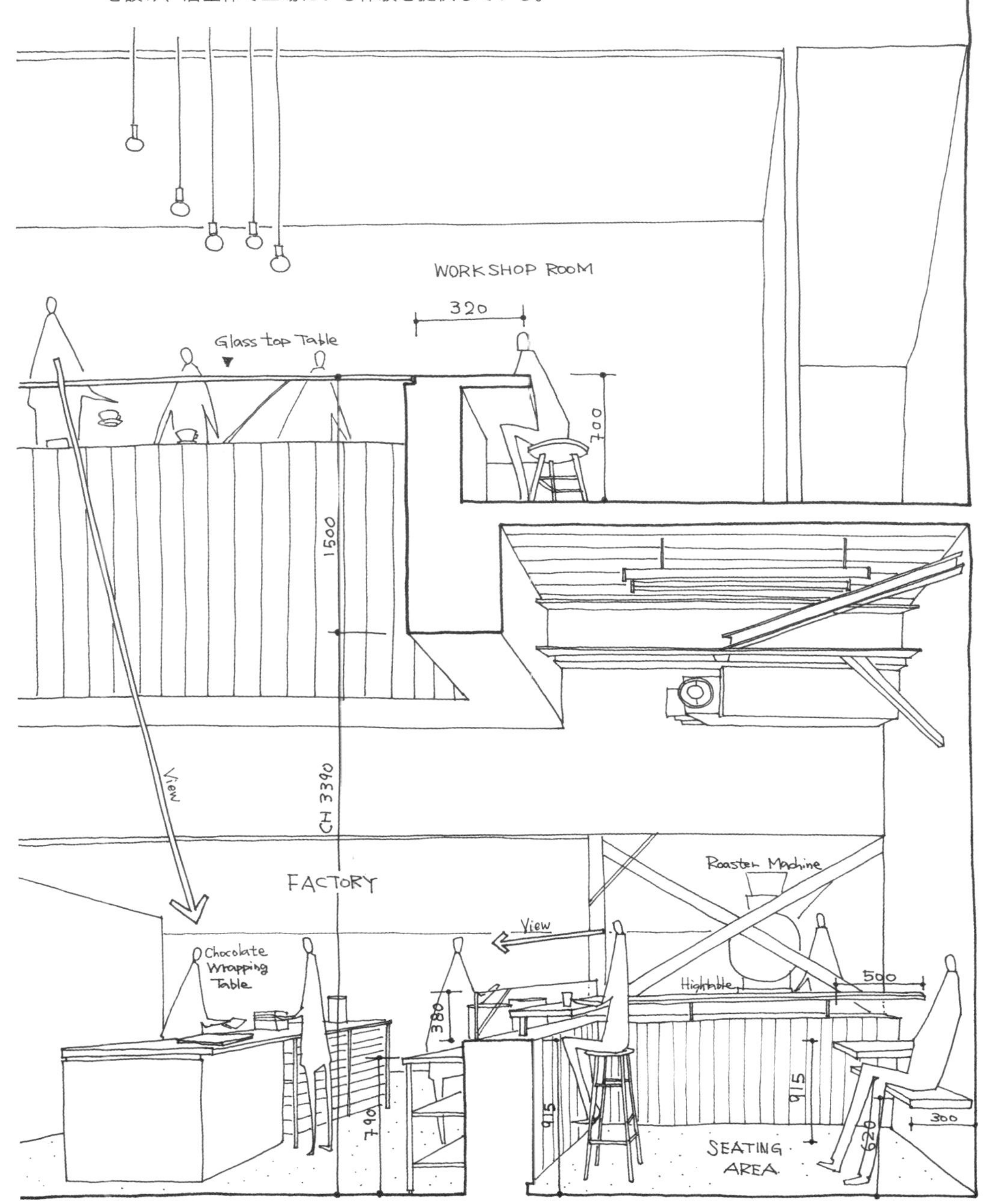

1

昔から倉庫や工場が多い台東区蔵前にあり、公園に面したロケーション。チョコレートの原材料で最も重要なカカオ豆の保存庫をガラス張りにし、店の顔として通り側に配置した。中央のエントランス上部の銅板庇は近隣建物の1階高さに合わせ、通りに対して秩序立ったファサードとした。

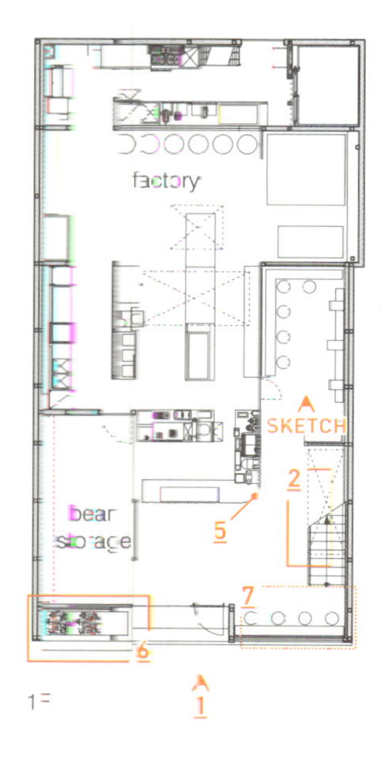

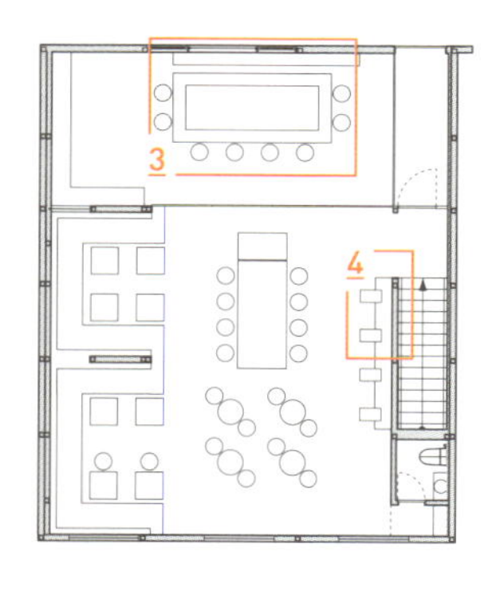

既存の鉄骨階段を利用した商品棚。錆止めの赤とレッドシダーを照明が照らし鮮やかに見せる。

2 階のワークショップスペースのテーブル。ガラス天板は工場をライブで覗ける窓である。

2 階の階段周りのベンチシートは既存の間柱を利用した。落下防止柵としての機能も持つ。

バリスタカウンターはレッドシダーと銅板で仕上げ、コーナー部のみモルタルで処理した。

カカオ豆保存スペースの外壁をセットバックし、植栽とベンチで街とのつながりをつくった。

構造補強のトラス越しに外を望む。銅板の庇が公園の景色を内部に取り込む。

筆者設計。カカオ豆からチョコレートバーになるまで一貫して製造を行う「Bean to Bar」を掲げるブランドの旗艦店。ダンデライオン・チョコレートの製造工程のすべてを客に見せ、その工程やテイスティングについて学ぶワークショップもできる店を設計した。カカオ本来の持ち味を生かすチョコレートづくりになぞらえ、既存建築の美しさを再発見、再利用し、職人の手仕事による仕上げを足していくことで、ここにしかない空間体験をつくり出している。

column3　時間を視覚化する

「際(きわ)の設計」「空間の主役」以外で意識していることに「経年変化」がある。建築というものは、10年、20年と人が使っていくうちに壁紙が変えられたり、間取りを変更したりと、竣工後に多様に変化する可能性がある。そうした変化を素直に受け入れ、むしろ重ねた時間を感じ、楽しめるような建築や空間をつくりたくて、主に素材を選ぶ際は、変化の過程を想像するようにしている。

こうした「時間の視覚化」を考える中で、木造建築のリノベーションに強く関心を寄せていた時期があった（もちろん現在も）。木という素材は、寺社などがそうであるように、時を重ねるごとに風合いを増していく素材である。一方で、加工や取り換えがしやすく、柱梁で構成された木造建築は増築・減築を含む改造、さらに移築もしやすい。木造建築のリノベーションは、あらゆる時代の痕跡を表現に取り入れやすく、時間の視覚化の挑戦にはうってつけなのだ。

2.プロセスのデザインで紹介している「Dandelion Chocolate, Factory & Cafe Kuramae」（2016年竣工）もその挑戦の一つ。施主と一緒にブランドのコンセプトに合う敷地の選定作業から加わったプロジェクトで、目標のオープン日までもう本当に時間がなくなってきた頃、今の蔵前の敷地に出会えた。敷地に建つ築50年の寂れた木造倉庫建築は図面がなく、手がかかることは明らかだったのだが、当時外国人向け宿泊地として新たに盛り上がりを見せていたこの地域で、地域の歴史を匂わす倉庫という建築が「Bean to Bar」を体現する最先端の空間へと変化するということに大きな意義を感じて、ここで設計することを決めた。

ここでは、まずチョコレートの製造工程を見渡せる大空間を決めた。視界の邪魔になる柱を丁寧に間引き、足を踏み入れた瞬間、目の前にその光景が広がるような平面計画だ。仕上げには既存の素材を残しつつ、それらに磨く・剥ぐといった手仕事を加えることで、時間の蓄積と更新の両方が一体化する表現を試みた。チョコレートができるまでの時間、建築が重ねた時間、さらに街が育んだ時間という三つの時間軸が絡み合った空間ができた。

これと同じ時期に進めていた「城崎レジデンス」（2016年竣工）もまた、リノベーションで忘れることのできないプロジェクトである。志賀直哉の『城の崎にて』で有名な温泉地、城崎で友人夫婦が購入した元・検番の木造3階建て建築（1階は一部

城崎レジデンス（2016年竣工、兵庫県豊岡市）

RC) を住宅にコンバージョンしたプロジェクトだ。

「検番」とは芸者の総合事務所のような施設で、稽古場や待機場も兼ねている。そのため3階には柱のない30畳の広い続き間の座敷があった。その古くなった天井を剥がす作業に入った頃だった。

天井板を外してみると、両面を板で補強された7本の大梁が姿を現したのだ。その力強い出で立ちと昔の痕跡、そして斜め方向に補強し合う板の美しい張り目に施主と共に大興奮し「この梁を生かした空間をつくろう！」ということになった。

料理好きで自宅に人を招くのが好きな施主のために、この大空間は人が集まれる開放的な空間にしようと考え、元々ロフトのような空間だった屋根裏の床は撤去し、3階は長さ4mのキッチンを中心とした天井高のあるリビング・ダイニングとした。50年間、静かに芸者たちの働きぶりを誰にも見られることなく屋根裏から見守ってきた大梁は姿をあらわし、この先50年よりもっと長く、住み人たちの暮らしぶりを見守っていくことだろう。

玄関にオープンしたポップアップスペース

さて、竣工から3年経った今、1階の玄関部分をポップアップスペースとしても使えるように改修し、カフェをオープンさせた。実は設計当初から「いつかここで何かをしよう」と話し、スケルトンのまま機が熟すのを待っていたのだ。施主の幅広い交友関係から、今後も様々な実験店舗が生まれていくことを期待している。

古い建物が生まれ変わり、竣工後さらに使い手によって使い込まれ、更新されていく中で、ますます魅力が増している。こういった単純な不動産価値基準では計れない魅力的な空間が増える明るい未来に期待したい。

あとがき——空間の記憶

1996年、隈研吾氏の元でスタートした僕の設計キャリア。当時、青山一丁目ホンダ本社ビルの裏にあった小さな2階建ての昭和木造建築に、隈氏と15名ほどのスタッフが働いていた事務所はとても印象的だった。ある先輩は浴槽を取り除いた風呂場をワークスペースに改造し、隈氏のデスクも元押し入れであったと記憶している。その後、その木造建築は解体され事務所は近所のビルに移転したが、〈場所〉の記憶は今でも強く残っている。

当時、両手をひろげたくらいの小さな空間に興味があった僕は、家具を取り扱うブランドIDÉEと出会った。

その旗艦店であるIDÉE SHOPは異彩な輝きを放っており、表参道駅から少し離れた4階建ての建物は、単なる家具を売るショールームではなく、古本小屋、花屋、ギャラリーなどの生活要素が混在していた。

その中心にカフェCAFFÈ @ IDÉE（カフェ・アット・イデー）があった。

休憩をする買い物客、ランチを楽しむ近所のワーカーなど様々な人で賑わっていた空間の中心には、カフェのスタッフがいた。

今思えば、その光景こそが、空間はそこに長く居る〈人〉が主役なのだと感じるきっかけであった。

こうした出会いもあり、1999年からはIDÉEで空間デザイナーとしてキャリアを積むことになった。

職場はクライン ダイサム アーキテクツとIDÉEのデザイナーがリノベーションした元ガソリンスタンドで、社会の変化に合わせて幾度かの改装を繰り返していた。

その中で僕は、それまでショールームだった職場を「IDÉE サービス・ステーション」というカフェへとコンバージョンするプロジェクトの担当となった。それまでポリカーボネイトで覆われていた既存建築をあらわにすることでガソリンスタンドの〈時〉の記憶を呼びさまし、新たに生まれるカフェと視覚的に融合することを目指した。結果、スタッフや近所の人たちに日常的に利用されるカフェが誕生した。

まえがきで、僕にとって設計活動は「答えを探し続ける終わりのない旅のようでもある」と記したが、旅を始めた頃の記憶をたどってみると、やはり原点には〈場所〉〈人〉〈時〉という本書で取り上げた三つのテーマがある。

これからも設計活動を通して学び、実践を繰り返しながら、これらのテーマへの答えを探る旅を続けていきたい。

最後になったが、僕の活動を発見していただき出版という貴重な機会をくださった学芸出版社の古野咲月さん、メルボルンでの取材全般を導き協力してくださった山倉礼士さん、途切れそうになる僕の心を支え、様々な作業をサポートしてくれた吉本淳さんと廣瀬蒼くん、ご協力いただいたすべてのカフェのオーナーと設計者とお客様に感謝を伝えたい。

そして、すべてにおいて、いつも僕を励まし信じ続けてくれたパートナーの奈香にこの本を捧げる。

2019年9月　加藤匡毅

掲載店舗情報

01 Third Wave Kiosk

所在地　Torquay Front Beach, Victoria, Australia
Web　thirdwavekiosk.com.au/
設計者　Tom Hoboa Pty Ltd
規　模　58m²
構　造　ー
竣工 / 開店　2015 年

02 CAFE POMEGRANATE

所在地　Jl Sabak Sok Wayah, Ubud 80571, Indonesia
Web　cafepomegranate.org/
設計者　中村健太郎
規　模　185m²
構　造　混構造（鉄筋コンクリート造＋木造）
竣工 / 開店　2012 年

03 BROOKLYN ROASTING COMPANY KITAHAMA

所在地　大阪府大阪市中央区北浜 2-1-16
Web　brooklynroasting.jp/
設計者　DRAWERS
規　模　60.45m² ーテラス 37.7m²
FLOWER SHOP 19.96m²
構　造　鉄筋コンクリート造
竣工 / 開店　2013 年

04 Skye Coffee co.

所在地　Call Pamplona 38, 08018 Barcelona, Spain
Web　skye-coffee.com/
設計者　Skye Maunsell Studio
規　模　5.6m²
構　造　ー　車両
竣工 / 開店　2014 年

05 HONOR

所在地　54 Rue du faubourg St Honoré,
75008 Paris, France
Web　honor-cafe.com/
設計者　Studio Dessuant Bone (Paris) & HONOR
規　模　14m²
構　造　木造
竣工 / 開店　2015 年

06 the AIRSTREAM GARDEN

所在地　東京都渋谷区神宮前 4-13-8
Web　airstream-garden.com/
設計者　ティープラスター　水口泰基（発案）
規　模　40m²（ウッドデッキ含）
構　造　ー（車両）
竣工 / 開店　2015 年

07 fluctuat nec mergitur

所在地　18 place de la République, 75010 Paris, France
Web　fluctuat-cafe.paris/
設計者　TVK & NP2F
規　模　170m²
構　造　鉄骨造
竣工 / 開店　2013 年

08 Dandelion Chocolate, Kamakura

所在地　神奈川県鎌倉市御成町 12-32
Web　dandelionchocolate.jp/
設計者　Puddle + moyadesign
規　模　36 坪
構　造　木造
竣工 / 開店　2017 年

09 The Magazine Shop

所在地　Gate Village 8, Podium Level, DIFC, Dubai, UAE
Web　ー
設計者　Case Design
規　模　43.2m²
構　造　木造
竣工 / 開店　2014-2017 年（閉店）

10 Seesaw Coffee - Bund Finance Center

所在地　104, Building 2 BFC
NO. 558 Zhong Shandong Er Road,
Huangpu, Shanghai, China
Web　Seesawcoffee.com/
設計者　Tom Yu Studio
規　模　屋内 97m²＋屋外 92m²
構　造　ー（テナント）
竣工 / 開店　2018 年

11 Dandelion Chocolate - Ferry Building

所在地　One Ferry Building, San Francisco 94111, USA
Web　dandelionchocolate.com/
設計者　Puddle + moyadesign
規　模　19.3m²
構　造　－（テナント）
竣工 / 開店　2017 年

12 Slater St. Bench

所在地　Suite 8, 431 St Kilda Rd, Melbourne, Victoria, 3004, Australia
Web　benchprojects.com.au/
設計者　Joshua Crasti and Frankie Tan of Bench Projects
規　模　59m²
構　造　－（テナント）
竣工 / 開店　2014 年

13 スターバックス コーヒー 太宰府天満宮表参道店

所在地　福岡県太宰府市宰府 3-2-43
Web　www.starbucks.co.jp/
設計者　隈研吾建築都市設計事務所
規　模　177.52m²
構　造　木造
竣工 / 開店　2011 年

14 SATURDAYS NEW YORK CITY TOKYO

所在地　東京都目黒区青葉台 1-5-2 代官山IVビル 1 階
Web　saturdaysnyc.co.jp/
設計者　ジェネラルデザイン一級建築士事務所
規　模　147.3m²
構　造　鉄筋コンクリート造
竣工 / 開店　2012 年

15 ブルーボトルコーヒー 三軒茶屋カフェ

所在地　東京都世田谷区三軒茶屋 1-33-18
Web　bluebottlecoffee.jp/cafes/sangenjaya/
設計者　スキーマ建築計画 長坂 常、松下有為、仲野康則
規　模　99.52m²
構　造　鉄筋コンクリート造
竣工 / 開店　2017 年

16 ONIBUS COFFEE Nakameguro

所在地　東京都目黒区上目黒 2-14-1
Web　onibuscoffee.com/
設計者　鈴木一史
規　模　14 坪
構　造　木造
竣工 / 開店　2015 年

17 GLITCH COFFEE BREWED @ 9h

所在地　東京都港区赤坂 4-3-14
Web　glitchcoffee.com/
設計者　平田晃久建築設計事務所
規　模　4 坪
構　造　鉄骨造
竣工 / 開店　2018 年

18 六曜社 コーヒー店

所在地　京都府京都市中京区河原町三条下ル 大黒町 40
Web　rokuyosha-coffee.com/
設計者　デザインアート
規　模　38m²（地下）
構　造　木造
竣工 / 開店　1950 年

19 KOFFEE MAMEYA

所在地　東京都渋谷区神宮前 4-15-3
Web　koffee-mameya.com/
設計者　14sd / Fourteen stones design
規　模　13 坪
構　造　木造
竣工 / 開店　2017 年

20 Elephant Grounds Star Street

所在地　8 Wing Fung Street, Wan Chai, Hong Kong, China
Web　elephantgrounds.com/
設計者　Kevin Poon collaboration with JJ Acuna
規　模　160m²
構　造　－（テナント）
竣工 / 開店　2016 年

21 KB CAFESHOP by KB COFFEE ROASTERS

所在地　53 avenue Trudaine, 75009, Paris, France
Web　kbcafeshop.com/
設計者　KB Team
規　模　45m²
構　造　ー（テナント）
竣工／開店　2010年

22 HIGUMA Doughnuts × Coffee Wrights 表参道

所在地　東京都渋谷区神宮前4-9-13 ミナガワビレッジ#5
Web　Coffee Wrights ► coffee-wrights.jp/
HIGUMA Doughnuts ► higuma.co/
設計者　CHAB DESIGN
規　模　51.25m
構　造　木造
竣工／開店　2013年

23 三富センター

所在地　京都府京都市中京区三条通富小路北東角 中之町24-3 三富センター1階
Web　santomi-center.jp/
設計者　cafe co.
規　模　24.63m²
構　造　鉄筋コンクリート造
竣工／開店　2018年

24 Bonanza Coffee Heroes

所在地　Oderbergerstrasse 35 10435, Berlin, Germany
Web　bonanzacoffee.de/
設計者　Bonanza and Onno Donkers
規　模　70m²
構　造　ー（テナント）
竣工／開店　2006年

25 ACOFFEE

所在地　30 Sackville Street, Collingwood, Melbourne Victoria, 3066, Australia
Web　acoffee.com.au/
設計者　Franke Tan, Joshua Crasti, Nick Chen, Byoung-Woo Kang
規　模　200m
構　造　レンガ造＋鉄骨造
竣工／開店　2017年

26 Patricia Coffee Brewers

所在地　493-495lt Bourke st Cnr Lt William Melbourne, Victoria, 3000, Australia
Web　patriciacoffee.com.au/
設計者　Foolscap Studio
規　模　38m²
構　造　レンガ造
竣工／開店　2011年

27 NO COFFEE

所在地　福岡県福岡市中央区平尾3-17-12
Web　nocoffee.net/
nocorporation.jp/
設計者　14sd / Fourteen stones design
規　模　28.5m²
構　造　鉄筋コンクリート造
竣工／開店　2015年

28 COFFEE SUPREME TOKYO

所在地　東京都渋谷区神山町42-3　1階
Web　coffeesupreme.com/
設計者　SMILIES
規　模　27m²＋屋上28.8m²
構　造　鉄骨造
竣工／開店　2017年

29 ABOUT LIFE COFFEE BREWERS

所在地　東京都渋谷区道玄坂1-19-8
Web　about-life.coffee/
設計者　鈴木一史
規　模　16.55m²
構　造　鉄骨造
竣工／開店　2014年

30 MAMEBACO

所在地　京都府京都市上京区春日町435 アオキビル1階
Web　coffee.tabinone.net/mamebaco/
設計者　メイククリエイション
規　模　1坪
構　造　鉄骨造
竣工／開店　2019年

31 CAFE Ryusenkei

所在地　神奈川県足柄下郡箱根町強羅 1300-72
Web　cafe-ryusenkei.com/
設計者　設計事務所 ima
規　模　9m²
構　造　ー（車両）
竣工／開店　2013 年

32 FINETIME COFFEE ROASTERS

所在地　東京都世田谷区経堂 1-12-15
Web　finetimecoffee.com/
設計者　成瀬・猪熊建築設計事務所
規　模　57m²
構　造　木造
竣工／開店　2016 年

33 池渕歯科　POND Sakaimachi

所在地　大阪府岸和田市堺町 5-5
Web　ikebuchidentaloffice.com/
設計者　Teruhiro Yanagihara
規　模　240m²
構　造　鉄骨造
竣工／開店　2017 年

34 Higher Ground Melbourne

所在地　650 Little Bourke St, Melbourne, Victoria, 3000, Australia
Web　highergroundmelbourne.com.au/
設計者　DesignOffice
規　模　450m²
構　造　ー
竣工／開店　2016 年

35 Lune Croissanterie

所在地　119 Rose St, Fitzroy, Melbourne, Victoria, 3065, Australia
Web　lunecroissanterie.com/
設計者　ー
規　模　440m²
構　造　ー
竣工／開店　2015 年

36 OMOTESANDO KOFFEE

所在地　東京都渋谷区神宮前 4-15-3
Web　ooo-koffee.com/
設計者　14sd / Fourteen stones design
規　模　10 坪
構　造　木造
竣工／開店　2011-2015 年（閉店）

37 walden woods kyoto

所在地　京都府京都市下京区栄町 508-1
Web　walden-woods.com/
設計者　嶋村正一郎
規　模　40 坪（1、2 階合計）
構　造　木造
竣工／開店　2017 年

38 artless craft tea & coffee / artless appointment gallery

所在地　東京都目黒区上目黒 2-45-12 NAKAME GALLERY STREET J2（中目黒高架下 85）
Web　craft-teaandcoffee.com/
設計者　Shun Kawakami & artless
規　模　67.61m²（カフェ・ギャラリーのみ）
構　造　鉄骨造
竣工／開店　2017 年

39 Dandelion Chocolate, Factory & Cafe Kuramae

所在地　東京都台東区蔵前 4-14-6
Web　dandelionchocolate.jp/
設計者　Puddle + moyadesign
規　模　124 坪
構　造　木造
竣工／開店　2016 年

加藤 匡毅（かとう・まさき）

► puddle_masakikato

一級建築士。工学院大学建築学科卒業。隈研吾建築都市設計事務所、IDÉEなどを経て、2012年Puddle設立。横浜市金沢区で幼少期を過ごし、歴史的建造物と新造された都市計画双方から影響を受ける。これまで15を超える国と地域で建築・インテリアを設計。各土地で育まれた素材を用い、人の手によってつくられた美しく変化していく空間設計を通し、そこで過ごす人の心地良さを探求し続ける。

Puddle（パドル）

► puddle_tokyo

2012年設立。東京を拠点に、ホテル、オフィス、住宅、商業施設において、照明・家具・音響・植物など空間にまつわるすべての要素を設計する。すでに存在していた美しさや価値に目を向け、職人技術に敬意を払い、独自の視点から新たな体験をつくり出していくことを目指す。活動範囲は国内にとどまらず、アジア、中東、ヨーロッパ、北アフリカ、北アメリカ各国に広がる。2024年7月、設計事務所の枠を超えるべく清澄白河にマルチアトリエ“after rain”を立ち上げ、Puddleの事務所も同施設に移転。主な作品に「%ARABICA」（初期30店舗）、「Sequence MIYASHITA PARK」、「SANU 一宮」、「TSUCHIYA KABAN KYOTO」など。

カフェの空間学　世界のデザイン手法

Site specific cafe design

2019年9月15日　第1版第1刷発行
2024年8月20日　第1版第8刷発行

著　者　加藤匡毅、Puddle
発行者　井口夏実
発行所　株式会社学芸出版社
京都市下京区木津屋橋通西洞院東入
電話 075－343－0811　〒600－8216
http://www.gakugei-pub.jp/
info@gakugei-pub.jp
編集担当　古野咲月
装　丁　赤井佑輔、清野萌菜（paragram）
印刷・製本　シナノパブリッシングプレス

ISBN 978－4－7615－3250－5

※本文の内容は2019年8月現在の情報です。